D1197272

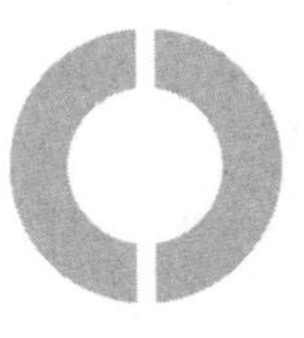

TICHY
MAJ 2013

~ o ~

Z wyrazami miłości
i wdzięczności za
wspaniale spędzony
razem czas
Ewa

P.S. Miłość nigdy nie jest łatwa,
czasem bywa miło, a zazwyczaj
jest trudno.
Mimo wszystko bez niej nie
potrafimy żyć.

ZBIGNIEW LEW-STAROWICZ

O miłości

Projekt graficzny
FRYCZ I WICHA

Korekta:
Małgorzata Ablewska, Katarzyna Kaźmierska

Skład
Tomasz Erbel

Wydawca
Czerwone i Czarne sp. z o.o.
Rynek Starego Miasta 5/7 m.5
00-272 Warszawa

Druk i oprawa
Drukarnia Colonel
ul. Jana Henryka Dąbrowskiego 16
30-532 Kraków

Wyłączny dystrybutor
Firma Księgarska Jacek Olesiejuk sp. z o.o.
ul. Poznańska 91
05-850 Ożarów Mazowiecki

ISBN 978-83-7700-040-3

Warszawa 2012

Książkę wydrukowano na papierze Creamy 80 g. vol 2.0
Dostarczonym przez Zing sp.z o.o

zing

www.zing.com.pl

ZBIGNIEW LEW-STAROWICZ

O miłości

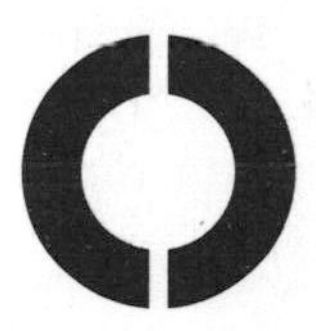

Rozmawia
Krystyna Romanowska

Warszawa 2012

Rozdział I.
Różne odcienie miłości

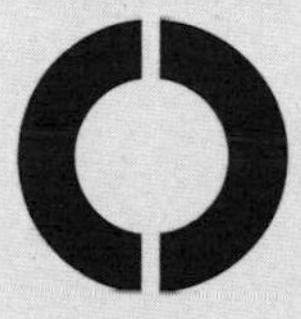

Rozdział I.

Co to jest miłość / ewolucja uczucia / mylenie miłości z pożądaniem / wyidealizowany obraz partnera / kiedy erotyka staje się najważniejsza / nieszczęśliwie zakochani – nie ma dla nich ratunku / niebezpieczeństwo dominacji w związku / nie bójmy się cierpienia w miłości

Panie profesorze, czy pan wie na sto procent, co to właściwie jest miłość?

Nikt tego, jak to pani sformułowała, na sto procent nie wie. Bo też miłość jest wieloznaczna i sprytnie umyka wszelkim definicjom i określeniom. Może być to „miłość od pierwszego wejrzenia", „miłość romantyczna", ale na miłość także składają się przecież pożądanie, zauroczenie, zafascynowanie, przyjaźń, poświęcenie, namiętność, wzajemne dobro.

Są jakieś wspólne cechy, które tę wieloznaczność miłości w jakiś sposób porządkują?

Naukowcy podkreślają, że elementami, które są uniwersalne w przypadku, kiedy mówimy o miłości, są: integralność rozumiana jako podobieństwo do drugiej osoby, świadomość udziału w wartościach partnera, potrzeba dawania, dwubiegunowość, czyli bycia raz szczęśliwym, a innym razem nieszczęśliwym. Oraz przekonanie, że miłość podlega ewolucji: zmienia się w miarę upływu czasu, rozwoju osobowości, wymaga ciągłego dialogu, współpracy i poświęcenia.

Pan ma własne typologie miłości, które stoją w opozycji do typologii innych badaczy. Na jakich podstawach pan typował uczucie?

Obserwowałem po prostu, co miłość robi z ludzi.

Co robi?

Miłość piorunująca zmienia. Najczęściej wszystko. Jest gwałtowna i zdarza się ludziom z rozbudzonymi marzeniami, z obrazem idealnego partnera. Wówczas ktoś taki może spotkać na swojej drodze kogoś, kto jest spełnieniem tych marzeń. Albo i go nie spotkać – wtedy taka osoba będzie daremnie oczekiwała na spełnienie swoich marzeń. Taka piorunująca miłość przydarzyła się, jak pamiętamy, Michaelowi Corleone w „Ojcu chrzestnym", któremu wydawało się, że „ciało wyrwało się z niego" i „krew pulsuje mu w czubkach palców".

„Coup de foudre" – tak określają ją Francuzi. Ona zawsze wiąże się z mocną erotyczną fascynacją, chociaż patrząc na rosyjski film „Admirał" i miłość Aleksandra Kołczaka do Anny Timiriewy, widzimy, że ta seksualna fascynacja jest na dalszym planie, a na pierwszy wysuwa się porozumienie dusz.

W przypadku jednak erotycznej fascynacji może być ona tak silna, że jest w stanie zmienić koloryt całego życia, widzenia świata. Ten stan trwa dosyć długo i potocznie mówi się, że „miłość przesłoniła świat". Wtedy to nie wychodzi się z łóżka, rzeczywistość wokół płynie jakby w zwolnionym tempie, a najważniejsza jest właśnie ta druga strona.

Ale to dopiero początek, dopiero się zaczyna.

Właśnie. To początek pewnej drogi, której losy mogą się potoczyć różnie. U jednych może rozwinąć się głębsza więź, czyli powstaje wspólnota psychiczna, u innych – nadal najważniejszy jest wymiar erotyczny, pomimo że wszystko inne może dzielić.

Seks jest bardziej więziotwórczy w piorunującej miłości niż rozmowa o literaturze i muzyce?

Seks bardzo długo może przedłużać nawet najbardziej nieudany pod innymi względami związek. Ba, bywa, że trwa on całe życie. Znałem pary, które przez wiele lat tkwiły połączone dobrym seksem, niczym więcej. I na przykład potem znajdowały partnera/partnerkę, z którymi połączyło ich bardziej porozumienie dusz niż ciał. Jeżeli zdarzało się to w jesieni życia, często takie pary były szczęśliwe jeszcze przez kilka lat. Ale zdarza się tak, że piorunująca miłość umiera śmiercią naturalną, kiedy wypala się fascynacja seksualna. Mamy na to wiele przykładów, obserwując życie celebrytów, osób z pierwszych stron gazet. Ledwo zdążą się podzielić ze swoimi czytelnikami, jak bardzo są szczęśliwi i że będą ze sobą do końca życia, a już ogłaszają separację, rozwód. I mógłbym powiedzieć, że to dobrze, gorzej, kiedy zostają ze sobą wbrew wszystkiemu. Wówczas taki związek, podtrzymywany jedynie seksem, w niektórych przypadkach zbliża się do relacji sadomasochistycznych, tak przynajmniej charakteryzują je psychoanalitycy. U podstaw miłości piorunującej leży egocentryzm, skupienie się na własnych uczuciach (stąd te silne emocje, które opanowują osobę zakochaną), pożądaniu. Kochający jak piorun dąży do posiadania tej drugiej osoby, zawładnięcia nią, stania się jej władcą. „Ja" osoby zakochanej jest tak długo niespokojne, jak długo nie spełni się jej potrzeba seksualnego bycia razem. Ten płomień miłości może być destruktywny, jeżeli włada nami erotyzm i poddajemy się jego działaniu bez liczenia się z konsekwencjami, albo pozytywny, jeżeli jest startem do prawdziwej miłości, wzbogacającej oboje partnerów.

Jest też miłość, którą nazywa pan w swojej typologii „szaleńczą". Rozumiem, że chodzi panu o straceńców, którzy wiążą się ze sobą bez względu na to, co powie o nich otoczenie.

Bo o ile nie dziwią nas związki pomiędzy partnerami w dość podobnym wieku, o zbliżonym temperamencie, statusie materialnym, potrzebach uczuciowych, wykształceniu, gorzej jest z zaakceptowaniem ich w nietypowych konfiguracjach. Zresztą: co to znaczy „nietypowa"? W sferze seksualnej normalność jest trudniejsza do określenia niż w jakiejkolwiek innej dziedzinie ludzkiego życia. Dla jednych normalność to życie z żoną i dwiema kochankami, dla innych – swingowanie, jeszcze dla innych – seks tylko z jednym partnerem. Ale właśnie takie związki między partnerami o dużej różnicy wykształcenia, kultury, stylu bycia, pozycji, rozwijające się nagle, w sposób nieoczekiwany, niepasujący do danej osoby, pozostające w sprzeczności z jej dotychczasowym postępowaniem. Znałem parę: on był wykształconym profesorem na wyższej uczelni, ona – kobietą prawie z marginesu społecznego, o bardzo swobodnym stylu życia.

Czyste szaleństwo.

Właśnie tak. Ale, wbrew pozorom, w tym szaleństwie jest metoda. Zwykle szaleńcza miłość burzy dotychczasowe, zdawałoby się, przykładne i pozornie dobre życie małżeńskie. Kiedy partner lub partnerka doświadczają szaleńczej miłości do kogoś, zwykle tłumaczy się to w sposób najprostszy: „Oszalał/oszalała", „Coś mu/jej odbiło". Zwykle współpartner lub współpartnerka tłumaczy fakt zaistnienia zdrady brakiem poczytalności drugiej strony opanowanej seksualnym szałem. Wyjaśnienia nagłego szaleństwa szuka się także nawet w potencjalnej chorobie psychicznej osoby, która zdradza, lub w perfidnym wręcz uwiedzeniu.

Prawda tkwi zupełnie gdzie indziej? Skąd nagle ten niewytłumaczalny miłosny szał?

Jego przyczyny mogą być najróżniejsze: najczęściej jest to niezaspokojona potrzeba seksualna – i to zarówno ze strony kobiety, jak i mężczyzny – bardziej porywającego, a przede wszystkim afirmującego cielesność, spontanicznego współżycia. Takie oczekiwanie może być zrealizowane właśnie w nietypowym związku, w którym jeden z partnerów nie ma większych zahamowań, jeżeli chodzi o seksualność i sprawy ciała. Ludzie, którzy przechodzą z jednej skrajności seksualnej w drugą, zazwyczaj w swoim stałym związku uprawiają seks w sposób dosyć poważny, jest on celebrowanym rytuałem, brakuje w nim wdzięku, lekkości, swobody, bezpośredniości, pieszczoty są wymuszone, a cielesność drugiej osoby nie budzi żadnej satysfakcji. Pieszczoty są sztuczne, bardziej wyrażają przywiązanie, coś w rodzaju „przynależności", a nie autentyczny podziw, poryw, pożądanie. Drugą przyczyną wejścia w taki szaleńczy związek jest potrzeba... orgii.

Aż tak?

Tak, potrzeby orgiastyczne spotykam u wielu moich pacjentów, którzy przychodzą do mnie z problemem: „Moje życie seksualne mi nie wystarcza i nie chodzi o częstość stosunków ani o jakość, bo jest w porządku. Chodzi o to, że pragnę czegoś więcej". Pewną ich namiastką jest zainteresowanie seksem grupowym, pornografią, fantazjowanie (do którego zresztą wiele osób się nie przyznaje z obawy przed utratą twarzy). Taki związek może być namiastką zrealizowania takiej orgiastycznej potrzeby. Te potrzeby „mocnego seksu" wynikają – najczęściej – z doświadczeń wyniesionych z dzieciństwa, kiedy sfera seksualna poddawana była rygorom, ograniczeniom.

Jednak ci, którzy przyglądają się takim szaleńczym związkom, kwitują je po prostu:

„Zmanipulowała go" albo „Dała się mu omamić".

Tak też bywa: druga strona dostarcza tak wyrafinowanych pieszczot seksualnych, które odsłaniają i pokazują kompletnie inny wymiar seksu, że wzbudzone pożądanie seksualne burzy wszystko: małżeństwo, normy, zasady, spokój.

Jakie są losy tych miłości szaleńczych? Żyją długo i szczęśliwie?

Praktyka i śledzenie dalszych losów tych związków potwierdza niezmienną prawdę na temat prawdziwej natury naszej seksualności: bez połączenia miłości ze wspólnotą postaw i wartości spala się ona sama w sobie, nie jest w stanie istnieć bez tzw. uczuć wyższych. Czyli takie związki są na ogół nietrwałe, po pewnym czasie mija w nich stan oszołomienia, fascynacji typowo seksualnej. Partner nagle uświadamia sobie, że zostaje sam z pustką po tym, o czym myślał, że jest miłością. Gorzej, jeżeli nie ma do kogo i do czego wracać.

No właśnie, czasami ktoś mówi: „Zakochałem/zakochałam się po uszy. To miłość mojego życia". A tak naprawdę po prostu pożąda tej drugiej strony. Jak nie pomylić miłości z pożądaniem?

Mylenie miłości z pożądaniem to jest jeden z najczęstszych błędów w początkowej fazie związku. Pożądanie to jest głównie sprawa zmysłów, ciała. Składają się na nią wielka potrzeba intymności, podniecenia, atrakcyjny seks. Mówi się wtedy: „Przez tydzień nie wychodzili z łóżka". Spotykamy właśnie tę osobę i wszystko się zmienia. Jest bardzo intensywny pociąg seksualny, mocne zainteresowanie tą osobą. Pojawia się przekonanie: „Tak to on/ona i nikt inny". I od razu pojawia się presja na intymność, ogromna potrzeba bycia razem, blisko. Właściwie to w tej osobie podoba nam się... wszystko. No i zaczyna się. Wchodzimy w związek. Jeśli to ma odpowiednio szybki bieg, błyskawicznie pojawiają się dzieci. A dopiero później trzeźwiejmy i okazuje się: „To była pomyłka". I tutaj mam dwie wiadomości: dobrą i złą, jeśli chodzi o scenariusz przyszłości. Naturze chodzi przede wszystkim o prokreację, więc popycha obie osoby w swoim kierunku. Najprawdopodobniej mają odpowiednie układy biologiczne, które stwarzają predyspozycje na raczej zdrowe potomstwo. No i zwyczajnie jest to pewna wypadkowa biologicznych uwarunkowań. To można uznać za rzecz pozytywną, no bo w końcu natura zmusza nas do robienia przyjemnych rzeczy i jakoś zbyt mocno się przed tym nie bronimy.

A ta zła wiadomość?

Zła wiadomość jest taka, że to atawistyczne uczucie zbyt często jest utożsamiane z miłością. Ale także dużo więcej: wierzy się, że właśnie to silne pożądanie będzie trwało wiecznie. A później jest wielkie, bolesne rozczarowanie. I z reguły jest tak, że kiedy przychodzi do mnie para i pytam ich, czy zaczęliby jeszcze raz od początku, kiwają przecząco głowami. Mają zakodowany w głowie mit o wiecznym pożądaniu jako integralnej części związku. I kiedy się kończy, uważają, że kończy się miłość.

A może wtedy należy zapytać, czy ta miłość w ogóle była, czy nie było li tylko pożądania. Bardzo często słyszę w gabinecie: „Gdyby nie ten seks na początku, to w ogóle do tego związku by nie doszło. Jesteśmy całkowicie innymi ludźmi. Właściwie wszystko nas różni". Na szczęście młodzi ludzie teraz sobie pomieszkują przed zawarciem trwałego związku. Już nie ma parcia na ślub, rozsądnie podchodzi się do planowania potomstwa. I jeśli dochodzi do zaniku płomienia namiętności i okazuje się, że to jednak nie jest to, szybko się rozchodzą. Takie związki oparte na szybkiej, gwałtownej namiętności, pożądaniu rozpadają się często. I ludzie wciąż czekają na miłość. Ale może się zdarzyć i tak, że pożądanie łączy się później z przyjaźnią i doskonałym porozumieniem. Od pożądania do miłości może być piękna droga.

Miłość równa się cierpienie czy miłość równa się przyjemność?

Ani to, ani to. Żyjemy w dziwnej kulturowej dysocjacji w traktowaniu miłości. Z jednej strony wymagamy od miłości, żeby nas uwznioślała i dostarczała nam samych przyjemności, zarówno w sferze psychologicznej, jak i fizycznej. Ma być źródłem szczęścia, radości, uczuciem wiecznym, trwałym, bogatym we wspaniałe doznania. Z drugiej strony wiemy, że miłość niesie wiele konfliktów, cierpień, kryzysów, nieporozumień, często na tle charakterologicznym, seksualnym. I zbyt często traktuje się to jako koniec miłości.

A końcem nie jest?

Czasem konflikt może być wyrazem miłości na wyższym poziomie, stanowić sygnał dla zakochanych, że stanęli w obliczu nowych zadań, wyzwań.

Jeżeli dokładnie przyjrzeć się człowieczemu losowi, to właściwie od dziecka jesteśmy konfrontowani z dwubiegunowością miłości. Maluchy często cierpią przez rodziców (nawet jeżeli ci wyrządzają im krzywdę nienaumyślnie) i na odwrót. Także najbardziej zakochane pary przeżywają dramaty.

Fenomen ludzkich uczuć wyraźnie podkreśla ich dwubiegunowy charakter. Nie potrafimy jednak płynnie i ze zrozumieniem balansować między tymi dwiema skrajnościami. Wiele osób w momentach szczytowego szczęścia odczuwa niepokój, że to wszystko może się skończyć, że partner zmieni się na gorsze.

Skąd w nas ta ambiwalencja i szukanie dziury w całym?

Miłość to nie tylko uczucie, to coś głębszego: stan, określona postawa wobec drugiej osoby, której przecież towarzyszą sytuacje konfliktowe. W psychoanalizie, cokolwiek byśmy o niej myśleli, istnieją pojęcia Eros i Thanatos – dwóch biegunów życia psychicznego. Biegun szczęścia i biegun cierpienia towarzyszą miłości macierzyńskiej, seksualnej, partnerskiej, ojcowskiej. W psychoterapii małżeńskiej dostrzeżenie tego faktu bywa nieraz szokujące. Ostrzegam przed patrzeniem na miłość przez różowe okulary. Dostrzeganie w niej tylko pozytywnego bieguna stanowi zagrożenie dla niej samej. Rodzi to bowiem konkretne oczekiwania i nastawienia, że „ma być fajnie". Każde negatywne przeżycie jest utożsamiane z brakiem lub zanikiem miłości.

On lub ona siada w kącie i zamyśla się na dwie godziny, a druga strona już myśli: „Nie kocha mnie" albo „Czuję się tak samotnie, chociaż jestem w związku".

Dotknęła pani ważnego problemu, jakim jest poczucie osamotnienia w miłości. „Jesteśmy dobrym związkiem, kochamy się, ale mimo to czuję się osamotniona" – słyszę często w swoim gabinecie. Ludzie uważają, że będąc z kimś związanym, nie mają prawa odczuwać samotności. A nawet największej miłości może towarzyszyć uczucie osamotnienia. I nie ma w tym nic złego ani nienormalnego czy dyskredytującego jakość uczucia między tymi ludźmi. To poczucie zależy bowiem od indywidualności danego człowieka, bogactwa jego osobowości. Może być kolejnym etapem w rozwoju psychicznym danej osoby. Często więc poczucie osamotnienia jest mylnie interpretowane jako konsekwencja bycia w „nieudanym" związku, podczas gdy mamy do czynienia po prostu z ewolucją osobowości. Czasami więc, kiedy współpartner/współpartnerka słyszy wypowiadane w jego obecności zdanie: „Czuję się osamotniony(a)", może przeżyć szok i pytać siebie, z czego ono może wynikać. Powtarzam więc – nie musi to mieć żadnego związku z wygaszaniem czy brakiem uczuć do drugiej osoby. Bo miłość to umiejętność pogodzenia JA z MY. A związek dwojga osób nigdy nie jest w stanie pozbawić ich cech indywidualnych, tylko im właściwych.

Miłość nie jest stanem nirwany lub ekstazy, tak nierozłącznego stopienia dwojga osób, że ich indywidualności są wyeliminowane. Miłość to raczej federacja o sporym zakresie autonomii dla każdej z osobowości. W miłości nie można zniknąć, unicestwić się, lecz należy wzrastać, a samotność jest szansą tego samorozwoju. Dzięki niej można budować świat własnych myśli i wrażeń, zdolność do konfrontacji, refleksji. Samotność powinna uświadomić własną niepowtarzalność, jedyność, odmienność, ale jednocześnie wzbudzić pragnienie otwarcia się, wyjścia ku drugiej, równie niepowtarzalnej osobie.

Proszę zobaczyć, jak nie potrafimy wejść w siebie. Żyjemy w kręgu stale zmieniających się bodźców: radia, telewizji, czytania, gadania, ruchu. Wystarczy prześledzić zachowanie ludzi w pociągu, w samolocie. Unikają jak ognia pozostania sami ze swym umysłem. Jest to pewna cecha społeczeństw żyjących w kręgu kultury Zachodu. W samolotach linii międzynarodowych często można zauważyć, że stewardesy przynoszą ilustrowane magazyny czy prospekty Europejczykom i Amerykanom, podczas gdy Hindusi czy Japończycy siedzą zatopieni we własnych myślach.

Dlaczego odrzucamy tę mniej spektakularną, mniej szczęśliwą stronę miłości?

Moim zdaniem ogromną rolę odgrywa tu wychowanie. Wychowujemy się w tendencji do unikania cierpień, ofiarności, poświęcenia na rzecz sukcesów, osiągnięć i przyjemności. Według mnie to ogromnie niekorzystnie wpływa na naszą zdolność do miłości. Jesteśmy z góry nastawieni na przedłużanie przyjemności, na bezustanne jej otrzymywanie. W wielu związkach słyszy się np. o tym, co druga osoba powinna nam dać. Jest to cała lista oczekiwań – brakuje natomiast istotnej deklaracji: co ja, jako druga strona związku, mogę od siebie ofiarować. Stąd także bierze się bezradność w sytuacjach konfliktowych, bo – skoro miało być tak pięknie – nie jest się przygotowanym na to, że wcale tak świetnie się nie układa. Jedną z często stosowanych taktyk jest także unikanie, omijanie sytuacji konfliktowych lub ich bagatelizowanie. Tymczasem powinno się je wspólnie omówić i poszukać strategii ich przezwyciężenia.

Jedna z koronnych zasad jest taka: „Nie pielęgnuj w sobie gniewu do partnera. Najlepiej jak najszybciej go rozładuj".

Oczywiście, zgadzam się. Gniew nie powinien się przedłużać, bo ma bardzo destrukcyjny wpływ na stan zdrowia. Jeśli jesteśmy zagniewani i wrogo nastawieni do partnera, to zła chemia w naszym organizmie działa na naszą niekorzyść. Wydzielają się hormony stresu i ciało nasyca się gniewem. Z punktu widzenia fizjologii to bardzo niedobry stan. Bo jeżeli w gniewie zasypiasz, raczej nie wypoczniesz. Gniew rozstroi twój organizm. Dlatego wszystkim parom radzę: zasypiajcie wtedy, kiedy rozładujecie swoje negatywne emocje. I to nawet nie ze względu na partnera: pomyślcie o sobie, o swoim zdrowiu. Najzupełniej egoistycznie.

No dobrze, ale jak to zrobić?

Ważne jest, żeby – bez względu na to, co się dzieje między partnerami – mieć głębokie przeświadczenie o tym, że nasz partner/partnerka ma owszem wady, ale też zalety. Zawsze powtarzam, skoncentruj się teraz na jego/jej zaletach. Dlatego wielu parom będącym na terapii par robię inwentarz cech, czyli proszę o wyliczenie: jakie partner/partnerka ma wady i zalety. W momencie kryzysowym radzę: „W tej chwili widzisz swojego męża/żonę przez pryzmat negatywnych cech. Popatrz z perspektywy zalet. Może jest wybuchowy, ale za to świetnie sprząta. Zarabia mniej niż ty? Ale świetnie opiekuje się dziećmi". To jest sprawa tylko pewnego treningu, wyrobienia. Możemy oczywiście roztrząsać w nieskończoność, jaki jest podły, odtwarzać tylko tę negatywną cechę i rozważać wszystko z przeszłości, co potwierdza nasze oskarżenie, ale to do niczego nie prowadzi. Dlatego warto wrócić do zalet, żeby się zdystansować. Może i jest egoistyczny, częściej myśli o sobie, ale...

...ale za to robi świetną kawę...

No chociażby. I bardzo kocha dzieci, i ludzie go szanują za poczucie humoru. Przestrzegam także przed myśleniem typu: „mój partner się nie zmienia", „znam go/ją od podszewki", „niczym mnie nie zaskoczy". Żadne z nas nie jest osobą niezmienną, stałą w swoich zachowaniach.

Jest także miłość nieodwzajemniona. Ma pan kilka słów pocieszenia dla tych, którzy jej doświadczają?

Niewiele. Co tu kryć: to ogromny dramat niespełnionych pragnień i potrzeb. Wiąże się z poczuciem bezsilności, osoby przychodzące do mnie na terapię z tym problemem mówią o poczuciu: „Jakbym bił w mur nie do skruszenia". To najgorszy rodzaj miłości – brak w niej wspomnień, a teraźniejszość jest pełna bólu, cierpienia i zwątpienia w sens życia. Co innego miłość, która trwa, nawet jeżeli jest trudna z różnych względów, której towarzyszą konflikty, rozczarowania, zaburzenia seksualne – ludzie w takim związku mają przynajmniej nadzieję na poprawę i mają dobrą przeszłość, do której mogą się odwołać, a pomyślna przyszłość jest potencjalnie osiągalna. Co gorsza, ludzie będący w związkach dających im satysfakcję (mniejszą lub większą), niestety, nie rozumieją miłości nieodwzajemnionej. Zwykle osoba, która właśnie ją przeżywa, może usłyszeć od nich następujące złote rady: „czas leczy rany", „tego kwiatu jest pół świata", „znajdziesz sobie kogoś lepszego".

Nie ma zrozumienia dla nieszczęśliwie zakochanych?

Nieszczęśliwie zakochanego zrozumie tylko drugi nieszczęśliwie zakochany. Ludzie z zewnątrz, jak często powtarzają moi pacjenci, zaczynają traktować zakochanych bez wzajemności jak masochistów albo wręcz chorych psychicznie. Zwykle mówią: „Co ty w niej/nim widzisz? Przecież nie ma w nim nic niezwykłego", „Rozejrzyj się: wokół jest tyle innych ciekawych ludzi". Efekt? Zakochany bez wzajemności czuje się kompletnie wyobcowany i nierozumiany, musi sam zmierzyć się ze swoim losem.

Tym bardziej że miłość nieodwzajemniona jest dzisiaj bardzo démodé. Wszyscy bowiem mówią „kocham cię"... Czy kiedyś miał pan więcej pacjentów nieszczęśliwie zakochanych?

Ich liczba wydaje się taka sama, sprawa tylko polega na tym, że są coraz mniej rozumiani przez otoczenie. Zmiany obyczajowe, kult seksu, erotyzmu, rosnące doświadczenia uczuciowe, częste oddzielanie miłości od seksu powodują, że nieszczęśliwie zakochani nikogo nie interesują.

Bohaterowie romantyczni są już passé, bo wszyscy chcą mieć przede wszystkim udany seks?

A proszę dać mi przykład z literatury współczesnej opisujący mękę nieodwzajemnionej miłości?

Więcej jest takich opisujących mękę nieodwzajemnionego seksu...

No właśnie. Mickiewicza od śmierci samobójczej z powodu nieodwzajemnionej miłości uratowali przyjaciele, Krasińskiego – ciotka, ale wielu innych, jak choćby Ludwik Spitznagel, 20-letni przyjaciel Słowackiego, zrealizował swój zamiar. Analiza przyczyn samobójstw wskazuje, że także dzisiaj ta motywacja jest dosyć silna. Pamiętam przypadek młodego chłopaka, który targnął się na życie właśnie z powodu zawiedzionej miłości. Został odratowany. Okazało się, że mocno idealizował dziewczynę, która mu powiedziała: „seks tak, ale po ślubie". Pomagała mu w budowaniu swojego obrazu kobiety idealnej. A pewnego dnia zastał ją w łóżku z kolegą...

Dlaczego czasami jest tak, że niektóre osoby ciągle zakochują się bez wzajemności?

Próby interpretacji miłości nieodwzajemnionej robiono w psychoanalizie. Freudyści znajdowali w niej nierozwiązane problemy z okresu dzieciństwa. Według nich obiekt nieodwzajemnionej miłości stawał się archetypem matki lub ojca, a relacja nabierała cech kazirodczych. W innych interpretacjach brano pod uwagę to, że wybierany obiekt był najczęściej nieosiągalny poprzez sam fakt wyboru tej, a nie innej osoby – dostrzegano w tym tendencje masochistyczne.

Jak jest pana zdaniem?

Nie ma jednego typu miłości nieodwzajemnionej. U podstaw jej występowania leży najprostszy i najbardziej banalny fakt: nikogo nie można zmusić do miłości. Jeżeli skieruje się swoje uczucia pod zły adres, nie ma co liczyć na wzajemność – fascynacja jest jednostronna. Obiekt miłości jest postrzegany wtedy jako ideał, jako „typ typów". Osobie zakochanej niełatwo jest pogodzić się z obojętnością wybranego obiektu, co jest niesłychanie trudne, ponieważ miłość nie jest uczuciem, którym można racjonalnie sterować.

Tak jak miłość bardzo niespełniona z piosenki Kazika „Spalam się": „Ty w mojej klasie uczysz języka angielskiego...".

Tak, wielu zakochanych bez wzajemności to bardzo młodzi ludzie, we wczesnym okresie dojrzewania, u których nagle rozwijają się gwałtowne fascynacje osobami uznanymi za atrakcyjne, wzbudzające romantyczne uniesienia.

Do tej grupy możemy zaliczyć nastolatki dostające histerii na koncertach Beatlesów i ich wnuczki zakochane w Justinie Bieberze.

Owszem, kochanie się w idolach, ale także w nauczycielach – którzy często kompletnie nie mają o tym pojęcia. Takie uczucia na szczęście bardzo szybko mijają i przenoszą się na inne osoby. Z perspektywy czasu mówi się o nich z sentymentem i uśmiechem, nie pamiętając, jak bardzo są bolesne, kiedy się je przeżywa.

Czasami można także wpaść w pułapkę „jedynie słusznego wzorca miłości”...

To bardzo częste. Przestrzegam przed precyzyjnym opisywaniem swojego ideału. Im dokładniej taki wzorzec zostaje przez nas określony, tym mniejsze mamy szanse na jego znalezienie, bo stawiamy mu wyższą poprzeczkę. I tym samym kurczy się prawdopodobieństwo jego spotkania. Nie mówiąc o tym, jak trudno byłoby zostać partnerem/partnerką tego wyidealizowanego kogoś. Co się jednak dzieje, kiedy ten ideał staje na naszej drodze?

I w dodatku nie odwzajemnia naszych uczuć?

Im dłużej był poszukiwany, tym bardziej dramat braku uczuć z jego strony jest szczególnie bolesny. Tym bardziej że szansa znalezienia drugiej takiej osoby wydaje się znikoma. Wtedy najczęstszym wyborem jest walka o odwzajemnienie uczuć.

...zwana obecnie stalkingiem.

Jeżeli przybiera neurotyczne formy, polega na nieustannym nagabywaniu i śledzeniu, to rzeczywiście można ją odbierać w tej kategorii. Robią to osoby z przerośniętym ego, wielkimi ambicjami, a brak wzajemności może podsycać działania. W rezultacie okazuje się bowiem, że nie chodzi tu o miłość, ale o własny honor, ambicję, o akceptację. W takim przypadku niekiedy samo uzyskanie akceptacji ze strony osoby, o której uczucie się zabiega, oznacza koniec miłości – ambicjonalny cel został bowiem osiągnięty.

Są osoby, o których się mówi, że są stworzone do jednej wielkiej miłości. Czy ta jedna wielka również może być nieodwzajemniona?

Niestety, tak również bywa. Miałem pacjentów, którzy rezygnowali w ogóle z życia rodzinnego, ponieważ nie mogli go stworzyć z tą ukochaną przez siebie osobą. Albo – co gorsze – decydowali się na stworzenie związku tzw. zdroworozsądkowego z jakąś przypadkową osobą i myśleli całe życie o tej jedynej niedoścignionej. Często może to trwać całe życie... Ale miłość nieodwzajemniona może się także realizować w zupełnie nieoczywisty sposób. Jeden z moich pacjentów miał nieudany związek, nie był w stanie realizować w nim swoich marzeń, pragnień. Do tego wszystkiego zdradziła go żona, ale zdecydowali się pozostać nadal małżeństwem. Spotkał jednak kobietę, która także była w związku, i zakochał się...

Zgaduję, że miłością nieodwzajemnioną...

Tak, i w tym ujęciu ta jego miłość była niczym innym jak tylko wyrazem jego podświadomych potrzeb. Kobieta, w której się zakochał, stała się dopełnieniem tego, czego nie mógł otrzymać w związku. I znowu powtórzyłby się scenariusz: gdyby tę miłość odwzajemniła – natychmiast przestałaby być obiektem jego westchnień. A tak mógł obdarzyć ją miłością platoniczną, marzycielską. Nie skończył związku, w którym był, a jego podświadomość wybrała taki obiekt uczuć, który nie mógł spełnić jego pragnień.

Kobiety też tak mają?

U kobiet może być jeszcze ciekawiej. Zdarza się tak, że niektóre z nich, mając świadomość swoich deficytów, będąc przeciętną czy mało atrakcyjną kobietą, zawierają związki na „miarę swoich możliwości". Ale ich marzenia o „prawdziwym spełnionym życiu" nadal żyją. Dlatego miłość rozkwita do osoby z marzeń: wyobrażonego obiektu, do którego można wzdychać i z którym prowadzi się „drugie życie".

Przypomina mi się „Sklepik z marzeniami" Stephena Kinga, w którym dorosła kobieta, matka, spędza całe dnie na marzeniach o życiu z Elvisem...

Miałem pacjentki „poślubione w myślach" przez Brada Pitta i inne hollywoodzkie gwiazdy. Może to być rzeczywiście postać z literatury lub filmu. Mamy więc do czynienia z czymś w rodzaju rozszczepienia osobowości: jedna część żyje w swoim normalnym życiu, a druga – w imaginacji. W marzeniach często widzi wspólne życie z kimś innym niż mąż. Niekiedy podczas współżycia wyobraża sobie tę drugą, wyimaginowaną osobę na miejscu partnera.

Miłość nieodwzajemniona szkodzi zdrowiu...

To prawda, długotrwały stan frustracji, napięcia doprowadza do załamania się sił obronnych organizmu, może się rozwinąć jedna z postaci nerwic, mogą pojawić się choroby psychosomatyczne. Są osoby, które reagują agresją w stosunku do obiektu swojej nieodwzajemnionej miłości albo są przykre dla otoczenia płacącego cenę za stres tej osoby.

Co może zrobić otoczenie?

Wykazać delikatność i zrozumienie. Nie radzić, tylko po prostu wysłuchać. Nie znam osoby, której pomogłyby rady: „Przestań o nim/niej myśleć", „Poznaj kogoś". Miłość nieodwzajemniona wymaga, żeby się z nią zmierzyć sam na sam. Czasami pomaga uświadomienie sobie, dlaczego tak się stało, wniknięcie w mechanizmy wybuchu tego szczególnego uczucia. Niestety, cierpienie jest nieuniknione...

Nie ma pigułki na takie nieodwzajemnione uczucie?

Nie ma, i dobrze. Współczesna pokusa omijania każdego cierpienia w rezultacie zubaża osobowość. Pamiętajmy, że dzięki miłości nieodwzajemnionej powstało wiele niezapomnianych utworów, dzieł. Ten rodzaj bólu wyzwala wiele energii twórczej.

Mickiewiczów nie rodzi się na pęczki...

To prawda, nie każdy nieszczęśliwie zakochany natychmiast pisze „Ballady i romanse", ale cierpienie rozbudza nieraz inne formy działania oraz – często – ukryte pasje. Może należy spojrzeć na swoją nieodwzajemnioną miłość jak na możliwość dowiedzenia się czegoś o sobie. Zabrzmi to banalnie, ale nie trzeba się w tych trudnych momentach zamykać na innych.

Gorzej chyba będzie tylko w sytuacji, gdy ta nieszczęśliwie zakochana osoba może liczyć na coś w rodzaju miłości, czyli uczucie z litości. Bo też takie jest...

Miłość litościwa ma co najmniej kilka odcieni. W znaczeniu społecznym jest jak najbardziej cenna, bo cechuje ją altruizm. To nic innego, jak postawa pełna współczucia wobec osoby, która tego potrzebuje: naszej czułości, opieki, wsparcia.

Kiedy jednak taka miłość wkracza w życie małżeńskie, przypuszczam, że nie dzieje się zbyt dobrze...

Nie jest to jednak, wbrew pozorom, takie rzadkie. Niejednokrotnie motywem zawarcia małżeństwa jest chęć poświęcenia się tej drugiej osobie. Mechanizm tego zjawiska jest następujący: jeden z partnerów jest świadomy braku prawdziwej miłości, która przecież zawiera w sobie składnik fascynacji erotycznej osobą partnera – a on w tym związku nie ma rozbudzonych potrzeb seksualnych. Są natomiast inne uczucia: opiekuńcze – one czasami potrafią dać satysfakcję. Pewną satysfakcję. Kobiety w moim gabinecie mówią wtedy: „Nie kocham go, ale było mi go żal. Tyle się nacierpiał w swoim życiu, że przecież by się załamał, jakbym go zostawiła!". Mężczyźni wyznają: „Była z tak zaburzonej rodziny, że miałbym do końca życia wyrzuty sumienia, gdybym się z nią rozstał. Po prostu przywiązała się do mnie i byłem dla niej jedynym bliskim człowiekiem. Przecież nie mogłem zawieść jej zaufania...". Kiedy słyszę takie wypowiedzi, wiem, że ten związek będzie miał kłopoty, i rzeczywiście zdarzają się prawdziwe dramaty, i nieraz poważne konflikty. W takim „litościwym związku" nie ma mowy o partnerstwie, za to jest wyraźny podział na stronę litującą się i stronę litość przyjmującą. Motywacje tej pierwszej mogą być różne i czasami nie do końca jasne nawet dla niej samej: tak się np. może realizować potrzeba dominacji (uwaga! bardzo niebezpieczna – łatwo dochodzi do nadużyć) albo uczuć rodzicielskich. Ale partner może być empatyczny, mieć po prostu dobre serce, subtelną wrażliwość, potrzebę bycia użytecznym. Nieco inna jest sytuacja osoby, która litość przyjmuje. O ile strona litościwa kieruje się wszystkimi możliwymi motywacjami, za wyjątkiem erotycznej, o tyle drugi partner ma zapotrzebowanie na miłość i właśnie z jej pomocą pragnie wynagrodzić sobie dotychczasowe przeżycia, przykrości, niepowodzenia. Można łatwo przewidzieć ewolucję takiego związku: strona przyjmująca litość na początku będzie wdzięczna, ale wkrótce nie wystarczy jej samo to uczucie i będzie pragnęła uczuć innych niż współczucie, a tych nie będzie mogła otrzymać. Powstanie więc relacja stricte rodzic – dziecko, a nie dorosły – dorosły. Taka relacja kryje w sobie ogromne niebezpieczeństwo: jeżeli obie strony dorosną do prawdziwego dojrzałego związku, „relacja litościwa", w której tkwią, będzie dla nich przeszkodą obarczoną jeszcze większym poczuciem winy, niewdzięczności niż relacja bez takiego specyficznego uwikłania. Wtedy zaczyna się szukanie pomocy i w moim gabinecie słyszę: „Panie profesorze, mnie się też coś od życia należy, nie mogę być ciągle niańką, czuję się uwiązany". Druga strona jest rozżalona i mówi, że dotychczasowy kochający mąż/kochająca żona nagle stali się opryskliwi, złośliwi i nie można się z nimi porozumieć albo po prostu mają romans. Takie jest właśnie potencjalne ryzyko związku opartego na miłości litościwej. Często zdarza się bowiem, że miłość w takiej relacji ewoluuje w nienawiść, a strona „opiekuńcza", jeśli decyduje się zostać w relacji ze swoim „podopiecznym" – przekształca ten związek w sadomasochistyczny układ. Dlatego ta miłość, która w życiu społecznym jest pożądana i więziotwórcza, jest praktycznie powodem dramatów i konfliktów w związkach partnerskich.

Nie radzę wchodzić w takie relacje. Powtarzam: motywem budowania związku powinna być dojrzała partnerska miłość połączona z fascynacją erotyczną. Inne motywacje prędzej czy później prowadzą do nieuniknionych konfliktów, dramatów, zranień. Jedną z takich motywacji może być na przykład rozpowszechnione w naszym kraju przekonanie, że małżeństwo i rodzina jest synonimem szczęścia.

A nie jest?

Pod warunkiem że dzieje się na zdrowych warunkach. W życiu wielu mężczyzn i kobiet rzeczywiście małżeństwo i rodzina jest traktowane jako powołanie życiowe. Jeżeli takie osoby są w dodatku bardzo uczuciowe, kierują się prymatem serca, a miłość traktują romantycznie, to już sam start do życia małżeńskiego będzie miał w ich wykonaniu pewne cechy odrealnienia i traktowania życzeniowego. Np. partner w relacji jest traktowany jako towarzysz w wielkiej przygodzie, która wypełni ich całe życie.

Znam gorsze przypadłości w relacjach. W tej nie ma chyba nic patologicznego.

Na pierwszy rzut oka rzeczywiście może się tak wydawać, pod warunkiem że proza dnia codziennego nie zrodzi u obu partnerów stanu frustracji (a najczęściej tak właśnie bywa) i że np. drugi partner, zamiast stać na wysokości zadania i być Dzielnym Poszukiwaczem Przygód, zmieni się w Gnuśnego i Leniwego Kanapowca, który będzie traktował związek jak szansę wygodnego urządzenia sobie życia. Wtedy zrodzi to na pewno rozczarowanie i chęć zrezygnowania z wielkiej przygody. Możemy mieć także do czynienia z innym wariantem tej miłości: miłością niewolniczą.

Brzmi strasznie...

W takim układzie mamy do czynienia z całkowitym zatraceniem się jednego z partnerów, przestaje w nim kompletnie istnieć „ja" któregoś z nich. Cały świat wartości i potrzeb podporządkowuje się jednej ze stron, a druga – całkowicie ze swoich rezygnuje. Anatol Winogradow w „Potępieniu Paganiniego" opisuje uroczy wieczór spędzony przez maestro w zacisznym arystokratycznym pałacu. Piękna signorina, wyzwalając bujny temperament skrzypka, zniewoliła go zupełnie: „Jak dobrze się stało, że zapomniał pan swoich skrzypiec! Znajdzie pan tu spokój i odpoczynek. Lecz nie chcę pana widzieć z pańskimi skrzypcami... Skrzypce już dawno zapomniane i nikt nie poznałby w tym wysokim, okrzepłym człowieku znakomitego skrzypka". Paganini został... ogrodnikiem pięknej pani. Skrzypce jednak nie dały za wygraną, rozpalając jego wyobraźnię we snach. Doprowadziły w końcu do przebudzenia i wyrwania się z miłosnego zatracenia.

Mam wrażenie, że w każdym związku istnieje niebezpieczeństwo dominacji.

Jest ono tym większe, im jedna ze stron jest bardziej egocentryczna i zaborcza. Wtedy potrafi ona wręcz włączyć tę drugą osobę do swojego życia psychicznego, podporządkowując ją sobie całkowicie, nie dostrzegając w niej odrębnej osobowości z uzdolnieniami, wartościami, które należałoby rozwijać.

Boi się dostrzec czy specjalnie nie dostrzega?

Tak również może być, jeżeli mamy do czynienia z typem psychopatycznym. Czasami do takiego zatracenia się doprowadza sam zakochany partner, kierując się ślepą miłością i masochistyczną uległością, która często jest jego cechą wrodzoną.

A druga osoba jest egoistą...

Tak, egoizm jest często źródłem utraty wspaniale zapowiadających się miłości. Egoizmem mężczyzny jest pragnienie zachowania własnej indywidualności, nienaruszalności. „Chcę, byś szkłami mymi patrzała na ludzi" – wymaga Krasiński od kolejnej wybranki swego serca, Bobrowej. Współczesny egoista ponawia te żądania albo poprzestaje na mniejszym – zrzuca ciężar życia codziennego, domowego na barki kobiety.

Egoizm kobiety jest subtelniejszy, bardziej zawoalowany, oznacza pragnienie posiadania na własność człowieka. Ukochany należy tylko do niej, powinien złożyć samego siebie na ołtarzu miłości dla niej. Jego praca naukowa, zainteresowania, przeszłość, zawód – mogą stać się podmiotem zazdrości. Kobieta ima się różnych sposobów, jedna natarczywie mówi o sobie, koncentruje uwagę na swoich przeżyciach, inna wybiera drogę choroby, ustawicznie wynajduje różne dolegliwości, urojone cierpienia – aby zmusić ukochanego do zajęcia się nią.

Wspomniał pan wcześniej o psychopatycznej miłości. W potocznym rozumieniu człowiek psychopatyczny oznacza człowieka złego, który krzywdzi innych.

Coraz częściej odchodzi się od tego określenia na rzecz pojęcia „osobowość nieprawidłowa". Jest ona wynikiem wrodzonych lub nabytych zaburzeń ośrodkowego układu nerwowego lub innych, nieznanych jeszcze przyczyn. Ten typ człowieka charakteryzuje się zaburzeniami w sferze motywacji i uczuć, zachowań. To często ci, którzy „nie wiedzą, co czują" albo zastanawiają się, „dlaczego to zrobiłem/zrobiłam?". Trudno im się żyje w małżeństwie i w ogóle – z innymi ludźmi. Nie wiemy dokładnie, jaki procent populacji ma takie cechy. Poza tym osobowości nieprawidłowe różnią się od siebie, dlatego związki z ludźmi zaburzonymi mogą być patologiczne, konfliktowe, ale... bywają też udane.

Po czym poznać, że związałam się z psychopatą?

Niestety, nie ma znaków sygnalizujących zaburzenia, które mogą być papierkiem lakmusowym. Najczęściej bowiem ujawniają się dopiero po pewnym czasie trwania związku. Co więcej, partnerzy z nieprawidłowymi osobowościami są atrakcyjni i fascynują siłą woli, umiejętnością przebicia się w życiu codziennym, dają złudne poczucie oparcia, bezpieczeństwa i opiekuńczości. Taki ktoś potrafi wiele dokonać, osiągnąć. Dlatego partner wiąże ze związkiem duże nadzieje i oczekiwania. Niestety, praktyka pokazuje, że te – dające siłę cechy – w praktyce nie służą związkowi jako całości, a tylko jego połowie, partner natomiast staje się satelitą. Stopniowo zaczyna zanikać więź uczuciowa, nawet jeżeli seks wydaje się w porządku, zaczyna w nim brakować wzajemności. Staje się bardziej „świadczeniem usług" niż erotyczną wspólnotą.

Jakie jednak cechy, nawet te, które zaobserwujemy później, świadczą o tym, że mamy do czynienia z zaburzoną osobowością?

Są to te aspekty osobowości, które utrudniają w sposób trwały kontakty z ludźmi, np. zrzucanie winy za swoje niepowodzenia na otoczenie czy drugą osobę, a także niezdolność do przewidywania następstw swoich zachowań i brak umiejętności wyciągania wniosków. Drugą ważną cechą jest brak empatii i fałszywy obraz nie tylko własnej osoby, ale także innych. Co więcej, taka osoba za żadne skarby nie da sobie wytłumaczyć, że może być inaczej, niż jej się wydaje. Co dalej? Nieliczenie się z innymi, egocentryzm i podporządkowywanie partnera, rozwiązywanie konfliktów bez dialogu i współdziałania. Często też takie osoby mają skłonność do powierzchownych relacji seksualnych bez poczuwania się do odpowiedzialności za drugą osobę.

Ewolucja takiego związku może przyjąć niepokojący charakter i – co ciekawe – być postrzegana zupełnie różnie przez każdego z partnerów. Strona z zaburzeniami może uważać, że związek jest udany, że nie ma żadnych problemów. Dla drugiego partnera relacja jest konfliktowa, ograniczająca wolność, pozbawiona głębszych uczuć – może się on czuć zastraszony, bywa także szantażowany. W skrajnych formach takie związki mogą stać się swoistym kręgiem piekielnym, bez możliwości wyjścia z powodu lęku, przerażenia.

Co w przypadku kiedy w relację wchodzą dwie zaburzone osoby? Dogadają się?

Mogą się dogadać, ale nie muszą. Dogadają się w przypadku relacji np. sadomasochistycznych. Może być również tak, że osoba będąca w takim związku ceni sobie bardziej np. życiowy standard, osiągnięcia partnera niż więź uczuciową, inaczej mówiąc – satysfakcja w innych dziedzinach tego związku może przesłonić rozczarowania emocjonalne czy seksualne. Miałem pacjentkę, dla której o wiele ważniejsze były wizyty w salonach kosmetycznych, drogie ubrania i atrakcyjne wyjazdy, które zapewniał jej partner dzięki wysokiemu statusowi materialnemu, niż możliwość wypłakania się na męskim ramieniu. Uważała swoje życie za bardzo udane. Ale często tego typu związki są trwale konfliktowe – mówi się potocznie o różnicy charakterów – i w takim związku żadna ze stron nie zazna spokoju. Dlaczego? Bo cechy charakteru tych osób są niezmienne, wobec tego przez cały czas toczy się między nimi walka. Jeżeli jeden z partnerów stanie się satelitą drugiego i zatraci swoją osobowość, zrezygnuje z marzeń i dążeń – związek ten będzie istniał, trwale niszcząc jedną ze stron.

Pewnym ułatwieniem w rozpoznaniu rodzaju miłości, jaki może nam się przytrafić, może być klasyfikacja amerykańskiego socjologa Johna Lee, którą stworzył na podstawie typologii starożytnych Greków. Wyróżnił sześć typów miłości: Eros, Storge, Ludus, Mania, Pragma, Agape.

Eros to miłość romantyczna, często od pierwszego wejrzenia, namiętna, intensywna, w której partnerzy mocno identyfikują się ze sobą, potrafią nawet nosić ubrania w tym samym kolorze. Chcą o sobie wszystko wiedzieć, celebrują ważne wydarzenia, które przeżyli wspólnie, są dla siebie tkliwi, serdeczni. W tym typie miłości bardzo ważna jest seksualność, sprawianie sobie nawzajem dużej przyjemności, rozwijanie ars amandi. Intymne zaspokojenie partnera daje poczucie spełnienia.

Inaczej jest w miłości typu Ludus. To miłość egoistyczna, wojownicza, gdzie liczy się zwycięstwo jednej ze stron, udowodnienie partnerowi swojej wyższości, uzależnienie go od siebie, by przejąć władzę. Seks jest bardziej zabawą niż nawiązywaniem głębokich więzi. Ma być radosny, ale bez specjalnego pogłębiania sztuki miłosnej, raczej rutynowy, bez szczególnego liczenia się z satysfakcją partnera. Osoby skłonne do tego typu miłości są zazwyczaj pewne siebie we wszystkich obszarach życia, również w miłości. Potrafią manipulować drugą osobą, prowadzić z nią grę. Przeważnie są niewierni.

Storge to miłość bardziej przyjacielska niż namiętna, i chociaż erotyka potrafi w takiej miłości być źródłem dużej przyjemności, to będzie odgrywała rolę drugoplanową. Ta miłość przeważnie rozkwita powoli, ale za to trwać może bardzo długo, a partner staje się najważniejszym w życiu człowiekiem. Przywiązanie, duchowe porozumienie, rozmowa, wspólne zainteresowania, wspólne poglądy – to charakterystyczne cechy tego rodzaju miłości.

Natomiast miłość typu Mania jest obsesją względem partnera. Ktoś, kto kocha taką miłością, potrafi nie spać po nocach, nie jeść, podejmować nieroztropne decyzje, stracić logikę myślenia, mieć huśtawkę nastrojów od niezwykłego pobudzenia po depresję. Spala go zazdrość o partnera, domaga się nieustannie potwierdzenia uczuć drugiej strony. Popada w uzależnienie od kochanej przez siebie osoby. Taki rodzaj miłości występuje często w pierwszej fazie romansów.

Zupełnie inaczej wygląda miłość typu Pragma. To jakby kontrakt wynegocjowany z partnerem, gdy jego wady i zalety zostaną oszacowane. W tej miłości wszystko jest przewidziane, zaplanowane – dom, liczebność rodziny, ścieżka kariery zawodowej itd. Jeśli druga osoba też jest pragmatyczna i zgadza się na układ, w którym nie ma miejsca na spontaniczność, taki związek może być trwały, a partnerzy dochowują sobie wierności.

Agape to miłość, w której partner całkowicie poświęca się drugiej osobie. Rozumie go, pomaga w każdej sytuacji, przebacza nawet zdradę. Bardziej dba o szczęście partnera niż o swoje.

Porozmawiajmy teraz o białych małżeństwach. Co jest więziotwórcze w związku, w którym nie uprawia się seksu?

Może to być przyjaźń, fakt, że podobnie czują, myślą, mówią, mają podobne zainteresowania, pasje. Prowadzą pasjonujące rozmowy, dyskusje. Osoby w takim związku mają poczucie, że są świetnie rozumiane i same także świetnie rozumieją. I że są tak do siebie podobnie, że to wprost niemożliwe, aby spotkać po raz drugi kogoś takiego. Niektóre białe małżeństwa są ze sobą dlatego, że nie spotkali nikogo o podobnie wysokim poziomie atrakcyjności intelektualnej, a poza tym specjalnie nie czują pociągu do seksu. Półtora procent populacji to osoby aseksualne, które żyją w białych małżeństwach. Są też ludzie, którzy mają generalnie małe potrzeby i dla nich brak seksu to żaden problem. Wcale ich to nie męczy.

Ale czy to, co ich łączy, można nazwać miłością?

W tej typologii miłości moglibyśmy mówić, że to jest miłość-przyjaźń. Oni są zakochani, są dla siebie przyjaciółmi, są dla siebie atrakcyjni, mówią sobie: „Jesteś przystojny, jesteś ładna". Tylko seksu nie ma. Dlatego są to związki uboższe, bo pełnię uczuć można osiągnąć, tylko mając udane życie erotyczne.

Czy miłość może zmienić kogoś na trwałe, z egoisty zrobić altruistę, z kłamcy – człowieka prawdomównego, z leniwego – pracusia?

Tak. Wprawdzie nasze cechy charakteru kształtują się w ciągu pierwszych pięciu lat życia, ale ze swojej praktyki wiem, że człowiek dysponuje ogromnymi możliwościami adaptacyjnymi i jest skłonny do naprawdę wielkich zmian. Ze swojej codziennej praktyki mogę podać masę przykładów ludzi, którzy wyszli z nałogu albo zmodyfikowali swoje, wydawałoby się niezmienne, cechy charakteru po to, żeby utrzymać związek. Podrywacze stawali się przykładnymi ojcami rodzin, a zrzędliwe kobiety – wyrozumiałymi żonami. Mogą to być dosyć trwałe zmiany, pod warunkiem że jest to miłość dojrzała. Tylko takie uczucie ma szanse zmienić innego człowieka: jego spojrzenie na innych ludzi, jego hierarchię wartości, tryb życia. Taka miłość, którą można nazwać przeobrażającą, charakteryzuje się kilkoma cechami. Przede wszystkim daje zakochanemu człowiekowi „twórczego kopa". Nagle odkrywa on w sobie ukrytą energię, zdolności do innego odbioru świata i ludzi. Biorca staje się ofiarodawcą, egoista – człowiekiem zdolnym do poświęceń. Czasami może się zdarzyć również tak, że pod wpływem miłości człowiek rodzi się na nowo psychicznie, zmienia mu się temperament czy nawet – zdawałoby się – niezmienialne cechy charakteru. Miłość może więc zadać kłam twierdzeniu o niezmiennej naturze człowieka. Silne uczucie jest w stanie zmienić także hierarchię wartości zakochanej osoby: zdarza się, że w imię miłości ludzie rezygnują z kariery, z panowania, zaszczytów.

Jak na przykład Edward VIII Windsor, który zrzekł się brytyjskiej korony, by poślubić wybrankę swojego serca...

Często zastanawiam się nad tym, czy nieposkromiona potrzeba zaszczytów, sławy, tytułów nie bierze się właśnie z braku miłości. Oczywiście nie u wszystkich i nie u każdego – bo jedno nie musi wykluczać drugiego, ale to właśnie najczęściej miłość dokonuje takiej metamorfozy.

Na ile to przeobrażenie pod wpływem miłości jest trwałe? Bo że w „okresie godowym" taka zmiana następuje u osoby zakochanej, to nikogo nie dziwi. Lecz jak zrobić, żeby było trwałe?

Niestety, często się zdarza, że przeobrażenia są krótkotrwałe – z wielu powodów: to amok miłości powoduje cudowne zmiany, ale nie są one na tyle silne, żeby zmienić do końca znane już utarte ścieżki myślenia. Kiedy emocje opadną, uczucia zmniejszają swoją intensywność, a co za tym idzie, potrzeba zmian także ulega minimalizacji. Może też być tak, że zakochana osoba pod wpływem swojej Muzy zmienia się, ale z czasem okazuje się, że siła oddziaływania owego obiektu inspiracji nie jest zbyt duża. Wobec czego zmiany nie są trwałe.

Najgorzej jest w przypadku, kiedy kobiety idealizują mężczyzn i swoją miłość do nich. Na przykład mówią: „Ja go wyleczę z nałogu". Przekonanie o tym, że moja miłość będzie miała charakter terapeutyczny, jest bardzo głęboko zakorzenione. Często okazuje się jednak, że miłość nie jest wystarczająco silna. Ona cierpi, bo była przekonana, że go z tego wyciągnie. Ba, znam takie kobiety, które próbowały nawet zmienić orientację seksualną chłopaka, w którym się zakochały. Bardzo się napracowały, nawet doprowadziły do sytuacji łóżkowej, tylko to nic nie zmieniło. Jest kilka warunków, które powinny być spełnione po to, żeby się udało. Po pierwsze, mężczyźnie musi zależeć na niej i powinien wiedzieć, jak bardzo to dla niej ważne, żeby np. nie pił. Wtedy przestaje pić ze względu na nią. Ale może także zadbać o zdrowie z czystego rozsądku i z przekonania o tym, że kobiety myślą bardziej racjonalnie od facetów. Bardzo często takie „bitwy o zmianę" w imię miłości mają dramatyczny epilog w gabinecie. Niejednokrotnie zakończenie jakiegoś zgubnego przyzwyczajenia jest warunkiem dalszego funkcjonowania związku. Kobieta mówi: „Naprawdę go kocham, ale moja miłość ma granice. Jeżeli on wybiera nałóg i to jest ważniejsze ode mnie, to po prostu odchodzę". Jedna z par, którą miałem na terapii, była bardzo w sobie zakochana, tworzyli naprawdę udaną relację. Było tylko pewne „ale". Uprawiali seks zawsze z soboty na niedzielę. I zawsze był to maraton seksualny pod wpływem kokainy. Ona brała i on brał. Jej partner nie był uzależniony od narkotyków, nie musiał brać coraz większych dawek. W ciągu tygodnia nie zażywał kokainy, dla niego najważniejszy był sobotni maraton zmysłów: miało się wiele dziać i być ostro. Seks był różnorodny, ekscytujący i trwał do białego rana. Dla obu stron było to niesłychanie podniecające i nietuzinkowe przeżycie. Jej się na początku bardzo podobało, bo w porównaniu ze zwykłym seksem, jaki uprawiała ze swoimi poprzednimi partnerami, ten był absolutnie wspaniały. Ale po dwóch latach ona powiedziała „dosyć". Pewnego dnia obudziła się i doszła do wniosku, że jej mężczyzna traktuje ją instrumentalnie, że służy mu tylko do seksu. Porozmawiała z nim i przyszli do mnie na terapię. Powiedzieli, że bardzo się kochają. On, że spróbuje zerwać z kokainowo-seksualnym przyzwyczajeniem. Ale nie udało mu się. Po kilku próbach powiedział mi, że nie jest w stanie zrezygnować z narkotykowego seksu, bo jest to dla niego ogromna atrakcja. Komunikat był dla niej czytelny. Seks weekendowy jest ważniejszy niż ona. Skoro miał taką hierarchię wartości, ona zdecydowała się odejść. Zrobiła to z wielkim bólem. Ale z tego, co wiem, jest teraz w szczęśliwym związku.

Panie profesorze, czy fenomen miłości jeszcze pana zadziwia, czy już nie?

Miłość mnie o tyle nie zadziwia, że od dziecka kąpałem się w świecie miłości. Moi rodzice byli bardzo w sobie zakochani. Moje rodzeństwo też było kochliwe i też żyło miłością, ale były to związki nie na tydzień, tylko poważne. Wiedziałem więc, jak to wygląda. Już nie mówiąc o swoich własnych doświadczeniach. Jest to stan mi znany, dlatego w miłość wierzę. To jest jedna z najpiękniejszych rzeczy, jaka może się człowiekowi przytrafić. Poczucie, że jestem kochany, kochać drugą osobę, udany, atrakcyjny seks – to są najwspanialsze doznania. Żadne stanowiska, ordery wieszane na piersi nie umywają się do tego uczucia.

Rozdział II.
Zakochani

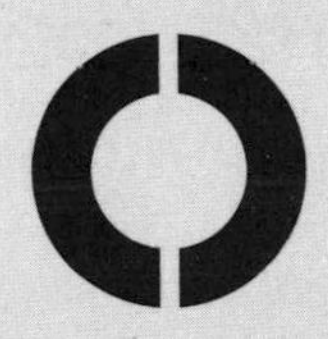

Rozdział II.

Problemy z nieśmiałością / na której randce iść do łóżka / co to znaczy: zakochać się od pierwszego wejrzenia / miłość wykalkulowana / kiedy jeszcze można zrezygnować / fałszywe oczarowania / stara miłość nie rdzewieje – prawda czy fałsz / nie czekaj na telefon, zadzwoń pierwsza...

Czy lubi pan przebywać w towarzystwie osób zakochanych?

O, tak! To chyba najradośniejszy stan, jaki można sobie wyobrazić. Ludzie są wtedy niesłychanie sympatyczni, otwarci, uśmiechnięci – oczywiście trochę nieobecni, bo przecież żyją w innym, euforycznym świecie. Stan zakochania sprawia, że są przyjemniejsi w obcowaniu, bardziej zadowoleni ze wszystkiego, życzliwi wobec innych, śpieszą z pomocą, są skłonni do oddawania przysług. Jednym słowem, stan zakochania dobrze wpływa na relacje międzyludzkie. Gdyby wszyscy byli zakochani, jestem pewny, że nie byłoby wojen. Poza tym są piękniejsi – mają błyszczące oczy, puszyste włosy, lepszą cerę, prostują się im sylwetki. To taka estetyczna ekspresja zakochania.

Hormony w mózgu robią swoje...

Hormony, endorfiny, chemia działa na wyższych obrotach. U zakochanych pojawia się także trochę inny typ myślenia, odczuwania – są bardziej skupieni na sobie, ale jednocześnie uwrażliwieni na innych. Ich myśli odbijają się w mimice twarzy, gestach, ruchach. Dlatego rodzice nastolatków bezbłędnie rozpoznają, że ich dzieci właśnie się zakochały. Nie da się tego zresztą ukryć przed współpracownikami, wszystkie koleżanki i koledzy natychmiast wiedzą, że COŚ ważnego się w życiu wydarzyło.

Dlaczego się zakochujemy w tych, a nie w innych osobach?

Jest kilka teorii na ten temat. Psychologowie ewolucyjni powiedzą: „Natura jest zainteresowana optymalnym rozmnażaniem się człowieka, dlatego nasza uwaga kieruje się na tę osobę, która z punktu widzenia ewolucji jest dla nas najlepszym partnerem dla przedłużenia gatunku". Inne wytłumaczenie bazuje na doświadczeniach wyniesionych z przeszłości. Jeżeli na przykład kobieta była jako mała dziewczynka, ale także później – jako młoda kobieta, zakochana w ojcu, niebywale go ceni, miała z nim bardzo dobry kontakt na każdym etapie swojego życia, to nieuchronne jest, że będzie się zakochiwała w ojcopodobnych.

I nie wyzwoli się z tego?

Ale po co ma się wyzwalać, jeśli to jest pozytywny wzorzec? Prawdopodobnie w takim związku, z partnerem podobnym do ojca będzie bardzo szczęśliwa. Można się także zakochać w swoim typie idealnym, wytworzonym na podstawie fantazji, lektur, filmów. Dlatego kiedy wchodzimy do jakiegoś lokalu, rozglądamy się i widzimy... ten idealny typ. I już czujemy: bingo, to on/ona! Ta osoba spełnia warunki zbliżone do naszego zewnętrznego ideału. I jeszcze jeden, czwarty wariant: możemy się zakochać w kimś, kto miał duże znaczenie dla nas w przeszłości. Tym kimś może być na przykład miłość ze szkoły – ich drogi się rozeszły, bo studiowali w innych miastach. Potem spotykają się po latach. I bęc, drugi raz ta sama osoba. I okazuje się, że to jest to.

W rozwoju człowieka na początku był seks, potem przyszła miłość. Czy wyobraża sobie pan scenę, jak praczłowiek po raz pierwszy się zakochuje? Był taki moment?

Mnie się wydaje, że to nastąpiło bardzo szybko. Bo przecież nawet w życiu seksualnym zwierząt jest dużo czułości. Nawet ten niezgrabny hipcio, jak się gramoli na samicę, to w tym akcie jest bardzo dużo czułości, czule traktuje swoją partnerkę. Podobnie z iskaniem u małp – przecież to czysta czułość.

Czy praczłowiek zdawał sobie sprawę z tego, że dzieje się z nim coś niezwykłego, czy było to nieświadome?

Sądzę, że nasz praprzodek wiedział, że to, co czuje, to coś więcej niż pożądanie. Mówię to na podstawie obserwacji życia seksualnego zwierząt, np. złożoności zachowań seksualnych szympansów bonobo. Dlaczego więc człowiek miałyby być od nich gorszy?

Zakochujemy się łatwiej, kiedy jesteśmy w trudnym momencie swojego życia?

Tak, bo miłość pozwala nam łatwiej przeżywać stresy i napięcia, we dwójkę jest po prostu lżej, oparcie w drugiej osobie bardzo wiele znaczy. Z tego właśnie powodu rozpadają się związki, w których jeden z partnerów jest na emigracji zarobkowej. Doskwiera mu samotność, wyobcowanie, trudności adaptacyjne. I wtedy bardzo łatwo może się zakochać. I to zakochanie na obczyźnie pomoże mu się zaadaptować do emigracyjnej sytuacji.

Słyszałam teorię, że mężczyźni się zakochują szybciej z powodu swojej wrażliwości na bodźce wzrokowe.

To mechanizm o wiele bardziej złożony. Jest prawdą, że mężczyźni mogą się łatwiej zakochiwać ze względu na bodźce wzrokowe, natomiast ważne jest jeszcze coś innego. Kobieta angażując się, może więcej stracić. Wiadomo, że przypadkowy lekkomyślny seks grozi konsekwencjami: niechcianą ciążą, macierzyństwem, którego się nie planowało. W takim układzie niefortunne spotkanie może wpłynąć na całe życie. Wyobraźmy sobie: ona spotyka jego, chemia zagrała w przypadku obu stron, następuje wymiana telefonów. Umawiają się, że zadzwonią do siebie. Co się wtedy dzieje? Jeżeli emocje opadną i kobieta nie należy do tych „zdesperowanych" – to zwykle ona szybciej zrezygnuje ze spotkania niż on. Zacznie bowiem kalkulować: „On mieszka daleko, nic o nim nie wiem i w dodatku tutaj mam fajnego faceta. Na diabła mi ten nowy. Trzeba być rozsądną". I nie odbiera od niego telefonu. Tak stwarza barierę przed rodzącym się uczuciem.

A on wydzwania, gotów jest jechać do niej z daleka.

Chociaż u kobiet też się oczywiście tak zdarza. Znałem takie kobiety, że z powodu wielkiego zakochania porzuciły wszystko, wyjechały na drugi koniec świata. Ale to nie jest w przypadku kobiet prawidłowość. Miałem też taką pacjentkę, która mówiła mężczyźnie wprost: „Ja łatwo się zakochuję, od razu i na całego, dlatego uważaj, jeżeli masz nieszczere zamiary i chcesz mnie oszukać". Takie kobiety to długodystansowcy, ale potrzebują poczucia bezpieczeństwa z męskiej strony.

A w którym miejscu kobieta może się jeszcze wycofać, gdzie jest ta granica?

Jest taki moment tuż przed zakochaniem, że można się jeszcze wycofać. I dotyczy to zarówno kobiet, jak i mężczyzn. Tylko że to jest jak balansowanie nad przepaścią. Ten stan to już prawie zakochanie, silne emocje, potrzeba bycia razem, ale jeszcze niewielki margines, w którym jest miejsce na wycofanie się. Często jest też tak, że właśnie w takim momencie rozsądek podpowiada: „Wycofaj się!" – bo on na przykład jest draniem, a ona wie, że będzie cierpiała. Ale może się okazać, że już jest za późno. Już zrobiło się „klik" i nie można zrobić kroku do tyłu.

I nie ma mocnych?

Na chwilę, w której się jest, nie ma. Później to różnie z tym bywa. Niektórzy potrafią się z tego silnego uczucia wyzwolić, ale nieraz dopiero po wielu latach. Kobieta myśli sobie na przykład z pełną świadomością: „Zakochałam się, co ja najlepszego zrobiłam, ale nie mogę się od niego uwolnić!”. Taki stan może trwać dwa, trzy lata. U niektórych trwa dłużej. Mam w trakcie terapii parę młodych ludzi, których łączy bardzo silny, udany seks. Jedno i drugie miało już doświadczenia w tej dziedzinie, ale tutaj trafili na siebie absolutnie wyjątkowo i w dziesiątkę. Ale jak już ten szał seksu minie, to mówią mi stanowczo w gabinecie, i to zarówno on, jak i ona, zgodnie: „Nasz związek nie ma sensu”. Wszystko ich różni, bez przerwy się kłócą, są po prostu najzwyczajniej w świecie nieudaną parą. Tylko kiedy lądują w łóżku, wszystkie uczucia są świeże, tak jakby właśnie przed chwilą się w sobie zakochali. I tak się kotłują już dziewięć lat. Racjonalnie wiedzą, że nie powinni być razem, że sam seks nie jest dobrym fundamentem. Ich życie codzienne to pasmo stresowych sytuacji, napięć, walki. Przyszli do mnie, żeby się od siebie uwolnić, bo seksualnie się uzależnili. Chcą się rozejść, stworzyć sobie normalne związki, rodzinę. Wiedzą, że nic dobrego ich w tej konfiguracji nie spotka.

Panie profesorze, wyobraźmy sobie sytuację klubową: wchodzi on, wchodzi ona, jest spojrzenie, zaczyna się rozmowa. Iskrzy. Czy jest możliwe, żeby w ciągu kwadransa ustalić, czy obie strony mają podobne wartości i czy to w ogóle jest dobry początek do zakochania?

Byłoby łatwiej, gdyby jedno i drugie przed wejściem wypełniało kwestionariusze skali wartości, upodobań, tak jak to się dzieje w biurach matrymonialnych, wtedy mogliby przeczytać i ustalić, czy jest szansa na zakochanie… No, ale nie mogą tego zrobić, więc siadają i zaczynają rozmawiać, mówić o sobie. I co tu teraz powiedzieć, żeby oczarować tę drugą osobę? On siedzi, patrzy na tę piękną kobietę, która jest dla niego fascynująca, pociągająca, wygląda świetnie i budzi potrzebę bycia z nią… A ona nagle zaczyna mówić, że jest fanką poezji Wisławy Szymborskiej, której wiersze poruszają najgłębsze pokłady jej wrażliwości, i generalnie nie wyobraża sobie bez niej życia.

On…

…pierwszy raz słyszy nazwisko naszej noblistki. I co ma w takiej sytuacji zrobić? Powiedzieć tej cudownej, wymarzonej kobiecie, że nie ma absolutnie pojęcia, o kim ona mówi? Przecież byłby skończony w jej oczach. I dlatego następuje fałszowanie. On zgadza się: „To bardzo głęboka poezja, podoba mi się zwłaszcza jej ostatni tomik". Koloryzuje, gra, następuje lekkie zafałszowanie rzeczywistości. Przecież nie może zgodzić się na to, żeby stracić taką okazję. Bywa też oczywiście odwrotnie. Ona nienawidzi wędkowania, ale kiedy trafia na atrakcyjnego wędkarza, natychmiast przypomina sobie wszystko to, czego dowiedziała się o wędkowaniu od swojego ojca. Jeżeli zależy jej na przystojnym wędkarzu, będzie cicho przy nim siedziała godzinami nad rzeką lub jeziorem. To nie jest świadome kłamstwo, tylko potrzeba bycia zaakceptowanym sprawia, że podoba nam się to, co podoba się tej drugiej osobie. Trochę inaczej jest później: nadchodzi proza życia codziennego, więc okazuje się, że miłość do wędkowania szybko się kończy, nie ma już tej mobilizacji. Dlatego nie radzę polegać na pierwszych rozmowach, na wrażeniu: „Świetnie nam się rozmawiało". Te rozmowy są często złudne: wyrażają chciejstwo, życzeniowość, a nie nasze prawdziwe ja. Tak jak w filmie Woody'ego Allena, w którym on chciał poderwać kobietę, która mu się podobała, wobec tego chodził z nią nawet do muzeów, chociaż tego nienawidził.

Czyli zafałszowanie jest wpisane w zakochanie? Ale czy można i należy go unikać?

Ja bym tak bardzo z tym zafałszowaniem nie wojował. Ono przecież w zasadzie nie jest niczym złym. Weźmy ten przykład z Wisławą Szymborską. Może się okazać, że nazajutrz po randce mężczyzna wybierze się do sklepu i kupi tomik poezji. I... polubi Szymborską, dzięki kobiecie odkryje nieznane mu dotąd uroki poezji. Ten stan zauroczenia może sprawić, że otwieramy się na świat drugiej osoby i zaczyna nam się on podobać. Dlatego początkowe zafałszowanie wcale nie musi niweczyć harmonii i nadziei na udany związek w przyszłości. Chyba że jest to świadome udawanie. Podam przykład. On po trzech randkach zorientował się, że ma do czynienia z romantyczką, natomiast sam jest człowiekiem dosyć przyziemnym. Nie miał w sobie ani krzty romantyzmu, wobec tego pisał do niej miłosne listy, posiłkując się literaturą. Sprawiał wrażenie, że jest romantykiem, erudytą, w związku z tym jej miłość do niego rosła z dnia na dzień, bo ona czuła pokrewieństwo dusz. Potem, kiedy już dwa lata mieszkali ze sobą, ona odkryła przez przypadek głęboko w szufladzie pozakreślane fragmenty epistolograficzne w XIX-wiecznym tomiku poezji. Poczuła się oszukana, czar prysnął. Ale już mieli dziecko, więc nie odeszła.

Czyli romantyczce nigdy nie spodoba się pragmatyk, a kobiecie nieśmiałej nie zaimponuje śmiały, pewny siebie mężczyzna? Przecież mówi się często, że szukamy u tej drugiej osoby tego, czego nam brakuje.

W układzie Nieśmiała – Śmiały możemy mieć różne kombinacje, tak zresztą jak w innych układach. Poznała go i się zakochała, bo są różni, albo poznała i zakochała się, bo są podobni. Bywa i tak, i tak. Ale zawsze jest jeszcze drugie dno, które nazywa się oparcie. Ona musi czuć, że jest to silny mężczyzna, który w razie kryzysu poda pomocne ramię. Mogą się na przykład zupełnie różnić w zakresie upodobań: ona może lubić muzykę poważną, a on pop rock. Natomiast jeżeli dla niej najważniejsze jest – i tego oczekuje od mężczyzny – poczucie bezpieczeństwa, to taki związek ma rację bytu. Są jednak i takie kobiety, którym w ogóle oparcie nie jest potrzebne. Silne, niezależne, samodzielne. W takim układzie ona poszukuje u mężczyzny bliskiej duszy, a nie oparcia. Znałem też udany związek, w których i on, i ona do późnych godzin nocnych czytali w łóżku książki. Miłość do lektur ich fascynowała, miłość do lektur ich połączyła. I to był drugi związek, i dla niego, i dla niej. Bo poprzednich partnerów bardzo denerwował ten ich łóżkowy obyczaj.

Czy jest tak, że częściej się zakochujemy w osobach, które są blisko nas, w sąsiadach, kolegach ze szkoły, z pracy?

To jest duże ułatwienie, bo są to osoby, które już trochę znamy, mamy już jakiś ich obraz, wiemy, czego się spodziewać. Ułatwieniem jest też fakt, że można łatwiej nawiązać znajomość, jeżeli jeździ się na przykład tym samym autobusem do pracy. Jeśli ktoś jest z Warszawy, a druga osoba ze Szczecina albo z Nowej Zelandii, to – co tu kryć – powstaje problem. Odległość potrafi wyeliminować wiele związków. Na ogół pary powstają w podobnych środowiskach.

Ale w dobie Internetu...

Związki internetowe to jest jeszcze inna rzecz.

Można się zakochać przez ekran komputera?

Można. Znam bardzo wiele związków, w których osoby się zakochały, nie widząc się nawzajem.

Czyli nie ma tego, co Desmond Morris nazwał stopniami wtajemniczenia intymnego, najpierw kontakt oko – ciało, oko – oko, głos – głos, ręka – ręka. Zamiast tego jest spotkanie oka ze słowami na ekranie komputera...

Nie bagatelizowałbym tego. Takie związki rodzą się stopniowo. Można to porównać z relacjami np. w pracy, kiedy spotyka się dwójka ludzi i kompletnie nie ma między nimi nic. Żadnej iskry, chemii, po prostu pustka. Dopiero w miarę upływu czasu i trwania tej znajomości obie strony zaczynają dostrzegać wiele zalet drugiej osoby. I rodzi się miłość. W Internecie obowiązują specyficzne prawa. Ktoś wchodzi do sieci i chce wyśpiewać całą swoją duszę, jest w tym bardzo szczery. No i trafia na podobną osobę. Przeskakuje wirtualna iskra, zaczynają ze sobą korespondować i dosyć szybko stają się sobie bardzo bliscy. Dopiero później następuje uzewnętrznienie cech, wtedy kiedy spotykają się po raz pierwszy. Skrajnym tego przykładem jest znana mi para, która była małżeństwem jedenaście lat. Żona dowiedziała się od koleżanki, w jaki sposób można rozszerzyć krąg swoich znajomych przez przyjaciół w Internecie. Zalogowała się na odpowiednim portalu i trafiła na mieszkającego w Paryżu Polaka. Pisali do siebie, pisali, potem wysłali sobie swoje zdjęcia. I... zakochali się. Ona tak dalece była zaangażowana w tę relację, że powiedziała: „Muszę pojechać do Paryża". Jej mąż wiedział o tym, że już jej nie powstrzyma, że ten wyjazd do Paryża będzie decydujący dla ich związku, więc nawet nie próbował tego robić. Po prostu szalał z niepokoju, czy to będzie nowa droga życia, czy rozczarowanie. Ona pojechała pełna nadziei i uczuć. Po dwóch dniach czar prysnął. Okazało się, że paryżanin potrafił w Internecie pięknie przemawiać, opisywać, czarować, odsłaniać swoją wrażliwość. I robił to w sposób ujmujący. Rzeczywiście taki był. Tyle tylko, że druga część jego natury była o wiele bardziej mroczna, wyrachowana, bezwzględna. Był cynicznym biznesmenem mającym w głowie tylko karierę finansową, bezwzględnie wycinającym konkurencję, krzywdzącym po drodze wielu ludzi. Czar tej relacji opierał się tylko na zasadzie wymiany informacji i rozbudzonej wyobraźni. Ona zrezygnowała ze związku, bo ta druga, niefajna strona jego natury zbyt mocno rzuciła się jej w oczy. Ale gdyby on nie był takim cynikiem, to ten związek raczej byłby kontynuowany.

Na której randce iść do łóżka?

To jest pytanie dość trudne i wcale nie ze względu na to, że ktoś jest pruderyjny lub nie. Chodzi bardziej o logiczne myślenie. Bo jeżeli wylądują szybko w łóżku, to obie strony, powtarzam: obie strony – kobieta i mężczyzna – mogą sobie pomyśleć o partnerze/partnerce: „Z innym/inną też pójdzie jej tak łatwo, jak ze mną". Dlatego nie potępiałbym zasad, oporów, obiekcji, wątpliwości przed szybkim pójściem do łóżka. Takie opory stwarzają poczucie bezpieczeństwa, w zasadzie powinniśmy najpierw bliżej poznać tę osobę, bo cóż z tego, że dobrze jej z pięknych oczu patrzy. Ktoś ma zasadę, że idzie się do łóżka z osobą, którą się kocha. I bardzo dobrze. To daje duże poczucie bezpieczeństwa. Takie traktowanie spraw łóżkowych sprawia, że stopniowo rośnie zaangażowanie uczuciowe i para dopiero po jakimś czasie ląduje w łóżku. To mogą być tygodnie czy miesiące. Dlatego sądzę, że tak natychmiast, błyskawicznie do łóżka to raczej nie. Stwórzmy sobie najpierw poczucie komfortu, bezpieczeństwa. To, że się idzie od razu do łóżka, mówi tylko o silnej namiętności i pożądaniu. O niczym więcej. Natomiast w tym samym momencie powstaje niebezpieczeństwo, że silny stan namiętności i pożądania może nam skrzywić perspektywę postrzegania drugiej osoby. Uczucie jest bardzo silne, chcemy go jak najczęściej doświadczać, seks łączy, wszystko widzimy w różowych okularach. Co daje nam, niestety, trochę spaczony obraz drugiej osoby. Jak czar seksu trochę się zmniejszy, to nagle dostrzegamy jakieś dziwne, obce cechy u tej drugiej osoby, których kompletnie wcześniej nie zauważyliśmy. I często powstaje rozczarowanie. Możemy trafić w dziesiątkę, ale wcale nie musimy.

Ale zna pan takie pary, które poszły do łóżka natychmiast i potem żyli ze sobą bardzo długo i szczęśliwie?

Tak, znałem takie pary. To były czasy, kiedy jeszcze można było się dziś poznać, a jutro już być małżeństwem. Znałem parę, która miała seks na pierwszym spotkaniu, w wannie, upili się, jeszcze popijali sobie w wodzie szampana. Postanowili na drugi dzień być małżeństwem, i to w dodatku, kiedy jeszcze nie zdążyli dokładnie wytrzeźwieć. Mają trójkę dzieci, rozeszli się po osiemnastu latach. Na pewno łączył ich dobry seks, łączyło ich to, że byli barwnymi osobowościami, ale w rezultacie, jak pokazał czas, to nie była para do bycia razem na zawsze. To była pomyłka. Stworzyli nowe związki.

Jest taka teoria: uważaj, z kim sypiasz, bo się możesz zakochać, bo podczas seksu wytwarza się hormon przywiązania. Czy faktycznie istnieje taka chemia?

Jeśli ktoś ma doświadczenie życiowe, był w kilku związkach i doświadczył tego, że dobry seks to nie wszystko, nawet najsilniejsza chemia nie odbierze mu rozumu. Jeżeli następuje nowa znajomość, dochodzi do fantastycznego seksu, to i tak on/ona wie, że to jeszcze nie wszystko. Przypomina mi się moja młodość, kiedy byłem studentem WAM-u i jako studenci wojskowej uczelni byliśmy – rzecz jasna – skoszarowani. My, młode, rozpalone chłopaki, potrzebujące seksu. Najlepiej często i w dużych ilościach. A w Łodzi cieszyliśmy się dość dużą „oglądalnością", bo tam była przewaga kobiet. One doskonale znały się na wojskowych dystynkcjach i mogły odczytać, na którym jesteśmy roku (znaki były wyszyte na mundurze). Niektóre kalkulowały: warto czy nie warto zacząć łapanie męża. Jak to robiły najczęściej? Oczywiście manipulując seksem, a dokładniej – obietnicą tegoż. Kobiety trochę doświadczone życiowo doskonale wiedzą, że mężczyzna przed seksem jest gotów podpisać każdy cyrograf. Natomiast po akcie seksualnym wcale nie musi być taki skory. Dlatego przeciągały w nieskończoność swoje seksualne obietnice, aż on decydował się na małżeństwo. Bardzo wiele małżeństw powstało właśnie w taki sposób. To przykład na to, że można tak kierować namiętnością, że stanie się priorytetem w powstaniu związku. No, ale co ten młody biedak w mundurze miał zrobić? Bardzo mu zależało, tęsknił za ciepłem kobiecego ciała, za domem, a wracał do chłodnych koszar. Gdyby kobiety w takiej sytuacji godziły się na szybki seks, to co by z tego miały? Niewiele. Poza tym, co znaczy takie powiedzenie wśród kobiet: „Nie zawieram znajomości na ulicy". To oznacza: „Musisz we mnie zainwestować, bardzo się postarać, nie myśl, że jestem byle jaka".

Panie profesorze, jest taka sytuacja: spotykają się, wymieniają się telefonami, on nie dzwoni, a ona cierpi. Pierwsza ma zadzwonić czy nie?

Ponieważ jesteśmy krajem katolickim, wobec tego lubię się odwoływać w takich dyskusjach do znanych wszystkim archetypów biblijnych. Jest taka przypowieść o perle, którą ktoś znalazł w ziemi i zrobił wszystko, żeby tę ziemię kupić i posiadać perłę. Jeśli dla kobiety ten właśnie mężczyzna, którego numer telefonu ma w ręku, jest taką perłą, to radzę: „Pozbądź się konwenansów". I zadzwoń pierwsza, bo potem możesz przez całe życie żałować, że nigdy tego nie zrobiłaś. Po latach może się okazać, że ten mężczyzna – perła – po prostu zgubił jej numer i najzwyczajniej w świecie nie mógł zadzwonić. Jeżeli więc ona czuje, że rodzi się coś ważnego, niech dzwoni...

A jeżeli usłyszy po drugiej stronie: „Hm... nie pamiętam, że dawałem ci numer telefonu" albo „Oddzwonię do ciebie" i cisza?

To przynajmniej ma jasność sytuacji, może kartkę z numerem podrzeć i spalić. Być może on jest już zajęty, a że wpadła mu w oko podczas spotkania, to postanowił wymienić się telefonami, lecz na więcej nie ma już energii i ochoty albo sposobności. Bo wrócił do swojego układu. I znowu powtarzam to samo. Jeśli on jest dla niej kimś bardzo ważnym, to powinna się przekonać, na ile ona dla niego jest ważna. Dobrze, żeby w takim układzie uczciwie postawił sprawę. Np. powiedział: „Jesteś piękną, fantastyczną osobą, podobasz mi się, chciałbym mieć taką dziewczynę, ale już jestem w związku i on jest dla mnie ważny". Wtedy ona czuje się dowartościowana, bo wysoko ją ocenił, ale cóż, kocha inną. I nie chce zmieniać układu. Sytuacja jest czytelna.

Czy zakochujemy się w tych, którzy się zakochują w nas?

Może tak być, że ktoś nas kocha i wtedy zaczynamy kochać tę osobę.

Zakochujemy się w ich miłości do nas?

Tak. Zwłaszcza jeśli ta miłość jest atrakcyjna. Każdy z nas jest trochę egoistą. Więc jeśli ta miłość pieści nasze ego i nikt nas do tej pory tak nie kochał, jest nam dobrze z tym, to możemy się też zakochać. Są tacy, którzy kochają dla zakochania. Kobiety często sobie myślą: „Jedna koleżanka jest zakochana, druga jest zakochana, to ja też chcę być zakochana". Zakochuje się w swoim zakochaniu, wyobraźni. I może w tej iluzji trwać.

Czy zakochany mężczyzna może zrobić wszystko dla kobiety?

Mówiłem już: może każdy cyrograf podpisać, czyli zrobić wszystko. Podobnie też zakochane kobiety. One też mogą zrobić z miłości wiele: porzucić swoje dzieci, przenieść się z jednego końca świata na drugi. Ludzie potrafią zabić z miłości. Zakochani potrafią zmienić miejsce zamieszkania, potrafią się przenieść do innego kraju, zrobić rewolucję w swoim życiu.

A co sprawia, że jedni zakochują się szybciej, a inni potrzebują czasu?

To zależy od wielu uwarunkowań. Jeśli ktoś jest bardzo zmysłowy i zmysłowo postrzega świat, jest pobudliwy seksualnie, to łatwiej może się zakochać. A jeśli ktoś z powodu seksu nie traci głowy, jest zdystansowany, potrafi panować nad tym, to może się zakochiwać powoli i ostrożniej.

Czyli nie jest tak, że zakochanie to zawsze grom z jasnego nieba?

Nie. Czasami jest jak w małżeństwach aranżowanych. Byłem kiedyś na wakacjach w Sri Lance. Hotel, w którym mieszkałem, był także hotelem dla młodych par i odbywały się tam ich śluby. Para wchodziła, następował ceremoniał powitania, sesja zdjęciowa, później było przyjęcie weselne i zakończenie uroczystości. Można było na pierwszy rzut oka zauważyć, że wszyscy są dla siebie obcymi ludźmi. Widziałem jedną parę, w której mężczyzna miał wyraźnie ogromną niechęć do tego małżeństwa. A znowu inna para nie mogła się od siebie oderwać, cali w skowronkach i pocałunkach. Może być tak, że w małżeństwach aranżowanych da się pokochać tę drugą osobę. Może to być sprawa czystego przypadku. Łączą się dwie rodziny, zawierają kontrakt: nasze dzieci będą małżeństwem. Efekt może być różny, przypadną sobie do gustu albo nie. W krajach małżeństw aranżowanych nie mówi się o miłości od pierwszego spojrzenia, tylko o miłości, która się pojawia. Nie jest najważniejszy ten pierwszy strzał zmysłów, tylko to, co nastąpi później.

Coraz więcej wśród nas jest singli, którzy brak miłości uważają wręcz za filozofię życia. Niezobowiązujący seks – owszem, ale uczucie – broń Boże.

Jest ich coraz więcej zwłaszcza w dużych miastach, i coraz więcej w moim gabinecie... Bo i ich dopada w końcu miłość i wtedy nie wiedzą, jak sobie z nią poradzić. „Przecież byłam taka niezależna, samowystarczalna, a teraz po wspólnie spędzonym weekendzie, który miał być tylko erotyczną igraszką, nie mogę przestać o nim myśleć. Czekam na telefon, odnajduję jego zapach na moich ubraniach, tracę kontrolę nad sobą, nad emocjami" – słyszę. Przeważnie taka osoba przychodzi do mnie dlatego, że chce, żebym ją nauczył obrony przed miłością, bo boi się, że traci niezależność, a ta była dla niej najważniejsza. Przeważnie nie rozumiała koleżanek, które jej opowiadały, jak tracą głowę z namiętności. Odczuwała w stosunku do nich nawet lekką pogardę. A tu masz, takie buty...

Bo nie ma człowieka, który mimo deklaracji, mimo wieloletnich doświadczeń, podczas których kieruje się prawie wyłącznie rozumem, odstawiając na bok emocje, jest tylko robotem, którego na pewno nie dopadnie miłość. Nie musi, ale może dopaść i wtedy największy nawet twardziel musi się z nią zmierzyć. Nie można lekceważyć siły natury, siły instynktu i emocji. Zwłaszcza kobiety, które podświadomie dążą do wicia gniazda.

Rozdział III.
Miłosne mity

Rozdział III.

Lepiej nie wiedzieć o sobie wszystkiego / czy można umrzeć z miłości? / pułapki platońskiego mitu o spotkaniu dwóch połówek / ile może być wolności w miłości / przyjaźń kobiety i mężczyzny – czy to możliwe / co to znaczy dbać o związek / zdrada, czyli owoc zakazany

Mówi się, że miłość jest najważniejsza, a Chińczycy twierdzą, że najważniejszy jest święty spokój...

Na to pytanie odpowiedział już eksperyment króla pruskiego, który uznał, że trzeba wychować superżołnierzy – odseparował niemowlaki od rodziców i zarządził zimny chów. Wszystkie dzieci zmarły. Miłość jest jak pokarm, oddech, jest podstawą naszego bycia. Można bez miłości żyć, ale co to za życie? Mamy w sobie zakodowaną potrzebę miłości. Są wyjątki od reguły, bo są ludzie niezdolni do miłości, ale to jest pewien ich mankament. Być kochanym i kochać to jest nasza fundamentalna potrzeba. Życie bez miłości to wegetacja.

Wiele osób szuka kamienia filozoficznego relacji partnerskich, który umożliwi im sukces, czyli udany związek. Zapytajmy wprost: czy taki kamień filozoficzny istnieje?

Nie ma go. Okazuje się, że łatwiej zdobyć wysokie kwalifikacje zawodowe, nauczyć się kilku języków, osiągnąć sukces w sporcie, niż dobrze przygotować się do życia małżeńskiego i rodzinnego. Szukając oparcia, bezpieczeństwa i jakiegokolwiek punktu zaczepienia, tworzymy więc mitologie, swoiste „drogowskazy życiowe", które mają nam ułatwić bycie szczęśliwym w związku. Ktoś chce być papużką nierozłączką i jako starsza osoba iść ze swoim partnerem/partnerką za rączkę? Jeżeli jestem proszony o taką receptę, to, niestety, nie mogę jej wypisać. Otóż w życiu wiele zależy od przypadku, od szczęścia, różnych wydarzeń. Są ludzie, którzy otrzymali na przykład urodę. Prezent od natury, a niczym sobie nie zasłużyli. Tak samo niektórzy otrzymali dar fajnego, udanego związku. I właśnie są tacy ludzie, którzy mają tyle szczęścia: przez kilkadziesiąt lat żyją w szczęśliwym związku, jest im dobrze, nie kłócą się. I często jest tak, że jedno umiera, a zaraz potem drugie. Marzyć można o czymś takim.

Wiedzą o sobie wszystko?

Nie sądzę. Jedną z mitologicznych zasad partnerstwa jest popularne twierdzenie: „O drugiej osobie powinno się wiedzieć absolutnie wszystko". Oczywiście, to zrozumiałe, że na pierwszym etapie znajomości, w fazie zakochania, chce się poznać siebie najlepiej i najdogłębniej. Nowo poznani kochankowie mówią więc sobie wszystko, łącznie z treścią snów, wydarzeniami z przeszłości, doświadczeniami z poprzednich związków, myślami, planami, marzeniami. Są jednak granice tego wzajemnego poznawania się.

Co je wyznacza?

Indywidualna wrażliwość każdego z partnerów, odporność, zdolność rozumienia innych.

Weźmy na przykład sytuację, w której kobieta doświadczyła w przeszłości gwałtu ze strony np. swojego ojca, kuzyna. Jak zareaguje na tę informację partner? U jednego może to wyzwolić uczucia opiekuńcze: czułość. Ale wcale nie musi to być reakcja obowiązująca. Inny mężczyzna może odczuć wstręt lub niechęć.

Czyli kobieta ma pozostać ze swoją ukrytą bolesną tajemnicą w imię zachowania związku?

Musi wykalkulować, czy się to jej opłaca. Bardzo dużo związków rozpadło się w wyniku ujawnienia przeszłości seksualnej jednego z partnerów. Podobnie jest z innym mitem, który brzmi: „Należy wszystko sobie mówić". Znam przypadek, kiedy związek eksplodował, bo ona opowiedziała mu treść swojego erotycznego snu, a on błędnie zinterpretował jego treść i utożsamił z jej pragnieniami. I rozstali się po wielkiej awanturze. Podobnie jest z epizodycznymi romansami – jestem zwolennikiem przemilczania takich spraw, jeżeli nie mają one przełożenia na związek. Kryterium takich wyznań powinno być jedno: dobro związku, a nie moje własne. I o tym należy pamiętać, zanim któraś ze stron wykrztusi: „Wiesz, kochanie, zdradziła(e)m cię i ciężko mi z tym". Zrzuci bowiem z siebie ciężar winy, ale konsekwencje dla związku mogą być o wiele poważniejsze.

Co z mitem: „Istnieje tylko jedna osoba, z którą mogę sobie ułożyć życie". Ta przysłowiowa połówka pomarańczy...

To platoński mit o spotkaniu dwóch połówek, które są doskonałą jednością. Ja wierzę, że kobieta i mężczyzna tworzą jedną całość. No tak, tylko to nie oznacza, że to ma się zdarzyć tylko raz w życiu.

To byłby prawdziwy horror i katastrofa.

Ci, którzy mówią, że we wszechświecie jest tylko jedna taka osoba, kręcą bicz na samych siebie. Ale jeśli takie przekonanie w parze wzmacnia związek, jeżeli czują, że są sobie przeznaczeni i to wzmacnia ich miłość, to niech sobie w to wierzą. Tylko niech nie narzucają tego poglądu innym. To byłoby zbyt metafizyczne.

Ale singlom trzeba powiedzieć, że istnieje co najmniej tysiąc osób, z którymi potencjalnie mogą sobie ułożyć życie.

Oczywiście. Potencjalnie możemy sobie ułożyć życie ze swoim typem. Bo mamy swój typ męski, kobiecy, który nam odpowiada. Im bardziej jest ten typ rozbudowany, detaliczny, elitarny, tym trudniejszy jest do znalezienia. Jeśli jego typem jest blondynka, długonoga z ładnymi piersiami i wesołym uśmiechem, umiejąca gotować i zaradna, to takich typów może znaleźć setki. Ale jeśli ona szuka np. miłośnika opery weneckiej, absolwenta elitarnej szkoły z internatem i konesera win toskańskich, a przy tym ma być przystojny i wysoki, to może długo szukać. I nie znaleźć, bo po prostu zawęża mocno statystycznie swoje szanse na znalezienie takiego typu.

Co jest źródłem tych zawężeń?

Nasz narcyzm, przeświadczenie o tym, że jesteśmy tacy wyjątkowi, że nasz partner musi być nie byle kim, innym niż reszta świata. Ale częściej to wynika z tego, jacy są nasi bliscy. Jeżeli jest to przeciętna rodzina, ojciec i matka pracują, a potem razem oglądają telewizję, wzorce osobowe dziecka nie będą zbyt skomplikowane. Gorzej, kiedy nieprzeciętny ojciec rzeczywiście doskonale zna się na toskańskich winach, jeździ świetnie na nartach i jest profesorem fizyki nuklearnej. Kobieta z takiego domu będzie miała dosyć wyśrubowany model mężczyzny. Podobnie jest z mężczyzną: jeżeli matka postawi wysoko poprzeczkę – jest nie tylko inteligentna, oczytana, ale również zadbana i świetnie gotuje, jednym słowem jest nieprzeciętną kobietą – jej syn także nie zadowoli się najzwyklejszą ze zwykłych. Raczej jego pułap oczekiwań będzie wyższy od przeciętnej. I to też trzeba rozumieć. Takie osoby statystycznie muszą dłużej czekać na swoich wyjątkowych partnerów. A jeśli nie mogą się doczekać i mówią: „Biorę pierwszą/pierwszego z brzegu" – to i tak będą porównywali z ideałem. I to jest ich problem, jak się w tym odnajdą i czy będą umieli zaakceptować tę „nieidealną" osobę partnera.

Czy miłości trzeba raczej szukać, czy może wystarczy po prostu na nią poczekać, aż sama mnie znajdzie. Mówi się przecież: nie szukaj, nie martw się, nie rozpaczaj, sama do ciebie przyjdzie...

Jeżeli słyszę coś takiego, to zawsze cytuję historyjkę opowiadaną w latach 50. przez mojego wesołego katechetę w szkole. Czeka sobie dziewczyna w domu na miłość i modli się do figurki św. Antoniego, żeby jakiś fajny chłopak się znalazł. I nic. Zdenerwowana i w lekkiej rozpaczy wyrzuca tę figurkę przez okno. Drewniany św. Antoni rozpada się u stóp przystojniaka, który się właśnie zatrzymał zaintrygowany, któż to wyrzuca coś takiego przez okno. Spojrzeli sobie w oczy i... zostali parą. Dlatego radzę: lepiej nie czekać, tylko wyjść naprzeciw. Teraz to już jest oczywiste. Nie widzę problemów, żeby znaleźć sobie fajnego faceta. Jest Internet, tyle możliwości kontaktów. Kiedyś dziewczyna sama nie mogła wyjść i gdzieś pójść. Nawet do kina musiała iść z kimś. Teraz może sama pójść do klubu.

To skąd tyle samotnych singielek rozpaczających z powodu braku partnera? A poza tym myśli pan, że ćma barowa znajdzie sobie faceta?

Nie musi to być jakaś speluna, ale na przykład klub jazzowy, koncert, na który się przychodzi, żeby posłuchać ulubionej muzyki i z kimś o niej porozmawiać. Bo samo pojęcie „czekam" jest niepokojące, ponieważ oznacza: „Ci wszyscy, których znam, nie odpowiadają mi, owszem, niektórzy są fajni, ale to jeszcze nie to". Jest czekanie, że w końcu pojawi się ktoś, kto ten zespół wymarzonych cech będzie miał. W końcu większość ludzi jednak się z kimś wiąże i tacy nieszczęśliwi przy ołtarzu nie są.

Często jest też tak, że stawia się na jednego czarnego konia. I mówi: „Podstawą sukcesu jest seks/pieniądze/pochodzenie/charakter/wykształcenie" (niepotrzebne skreślić). W jednej z tych cech upatruje się sukcesu do udanego życia...

Kiedyś usłyszałem w gabinecie: „Gdybyśmy sprawdzili się przed ślubem, nigdy by nie doszło do rozpadu związku, poradzę mojej córce, żeby mieszkała z facetem przed ślubem". W tym przypadku chodziło o to, że mężczyzna był impotentem i ukrywał ten fakt do momentu zawarcia związku, licząc na to, że partnerka – nawet jeżeli się o tym dowie – nie zostawi go. Okazało się, że w rezultacie ona go rzuciła, a przy okazji przewartościowała swoje poglądy na temat pozamałżeńskiego seksu. Tak naprawdę bowiem, nie ma jednego czynnika decydującego o sukcesie w miłości. Mogą być to bardzo różne rzeczy, w zależności od hierarchii wartości, oczekiwań, dojrzałości i przyjaźni obu stron.

Stąd wniosek: należy sprawdzić się przed ślubem.

Myśli pani, że to taki do końca wiarygodny test?

Przynajmniej impotencję wykluczy.

Wiele związków potencjalnie udanych nie doszło do skutku tylko dlatego, że ów test nie wyszedł pozytywnie. Więź seksualna zależy od bardzo wielu czynników: wymaga czasu, współdziałania, sprzyjających warunków, pielęgnowania i rozwijania sztuki miłosnej. Dlatego jednorazowy czy nawet kilkakrotny sprawdzian, rozumiany jako odbycie stosunków seksualnych, tak naprawdę niewiele mówi. Nawet jeżeli ujawnią się zahamowania i zaburzenia seksualne, to jeszcze nie wiadomo, na ile są one sytuacyjne, prowokowane lękiem przed „egzaminem", a na ile wyrazem głębszych przyczyn.

Słyszałam też takie zdanie: „W miłości seks nie jest najważniejszy, najbardziej liczy się charakter".

I znowu: zależy u kogo. Miałem kiedyś na terapii parę, która nawzajem wychwalała swoje przymioty. Ona oceniała swojego męża jako opiekuńczego, zaradnego, inteligentnego. On mówił o niej: „Takiego kobiecego charakteru ze świecą szukać: świetnie gotuje, ma wspaniałe poczucie humoru, jest wyrozumiała i świetna z niej matka". I co? Małżeństwo rozpadło się z powodu nieudanego seksu. Z mojego doświadczenia wynika, że najlepsze związki mogą ulec rozpadowi z powodu kłopotów z ars amandi, mimo że charakter partnera można oceniać jako idealny. To bowiem nie wystarcza, oczywiście bywa też odwrotnie: okropne charaktery – świetny seks. Mam teraz na terapii taką parę: nawet po dziesięciu latach bycia razem seks w dalszym ciągu jest atrakcyjny. Poza tym wszystko inne ich dzieli. Niebo w łóżku, a piekło poza łóżkiem. I tak żyją latami. Ale przychodzą do mnie, bo co pewien czas dochodzą do przekonania, że tak dłużej już nie można. Dochodzą do granic odporności i racjonalnie wiedzą: muszą się rozstać. Ale terapeuta małżeński nie jest cudotwórcą. Jeśli im się przez tyle czasu nie udało wykrzesać innych relacji, bo ich wszystko dzieli: charakter, zachowania, normy, zasady, sposób spędzania wolnego czasu, wartości, to co można im zaproponować.

Kłócą się?

Kłócą. Do tego wszystkiego dochodzi jeszcze walka o władzę. Może nie tyle o wpływy, ile o próbę narzucenia wizji własnego świata. To jest taka para, która zadaje kłam temu, że sztuka miłosna zaczyna się od świtu. U nich nie. U nich sztuka miłosna zaczyna się od momentu, kiedy wejdą do łóżka, chociaż pięć minut temu jeszcze się tłukli i wyzywali.

Ale jak to jest możliwe, panie profesorze, bo przecież seks to jest też czułość?

Nie zawsze jest czułość. Czy gwałciciel jest czuły?

Czyli ich seks polega na wzajemnym gwałcie?

Nie. To jest taki ostry, jak oni mówią, zwierzęcy seks, pełen pożądania. Oni się gotują wewnętrznie, tak potrzebują tego seksu. Sprawia im przyjemność, ale jest to taki seks „zmagający się". Nie ma czułości, pieszczot, dotykania. Koncentrują się na swoich bardzo silnych doznaniach zmysłowych, które tylko ten właśnie partner jest w stanie wyzwolić. Nieraz podejmowali próby uwolnienia się z takiego układu. Oboje mają sielankowy scenariusz: jakby to było dobrze, gdyby partner mnie rozumiał, gdybyśmy mieli wspólnotę psychiczną, pieszczoty, seks pełen czułości. Zdarzyło im się kiedyś na jakiś czas wejść w takie relacje z innymi partnerami, ale okazało się, że one nie spełniają ich oczekiwań, wobec tego wracają po raz kolejny do tego samego związku.

I pan im wtedy sugeruje bycie w czymś takim do końca życia?

U niektórych tak będzie, a jak się zestarzeją i stracą zainteresowanie życiem erotycznym, będą stanowili parę, która żyje razem, ale obok siebie. Dwa inne światy.

Niechybnie czeka ich wielkie rozczarowanie...

Bo jeśli się pytamy o związki z bardzo długim stażem i nawet ekstremalnymi atrakcjami seksualnymi, to są one za nudne tylko do wspominania. Ile można żyć tym, że 30 lat temu uprawiało się seks analny albo miało trzy orgazmy pod rząd. Wyobraźmy sobie, że idzie taka para za rączkę na spacer i wspominają swoje przeszłe życie. No tak, były te gorące noce i było ich niemało, ale czy codziennie mają o tym rozmawiać? A poza tym... posłużę się takim przykładem. Niech pani sobie wyobrazi smakosza wina, który potrafi mówić o tym wiele i bardzo barwnie. Kiedy nagle traci smak, z jednej strony ma świadomość, że utracił coś cennego, ale z drugiej strony wszystko to, co będzie mówił o przeszłości, jest absolutnie pozbawione życia. To tak samo z seksualnymi wspomnieniami

– nie można się długo nimi zachwycać. Co innego, kiedy związek łączą pozaseksualne sprawy. Jeżeli jest wiele wspólnych atrakcji: wycieczki, wspólni przyjaciele, dzieci, to mają co wspominać. Sam seks to za mało, żeby dwoje skłóconych, różnych ludzi miało bazę satysfakcjonującą ich do końca życia.

Jak pan ocenia powiedzenie: „Kochamy się, więc nie znamy żadnych tematów tabu".

To piękna idea wyrażająca brak jakichkolwiek tajemnic, także tych z dziedziny fizjologii. Ale bywa z tym różnie. Miałem przypadek pacjenta, który osłupiał, kiedy żona w jego obecności włożyła do pochwy środek antykoncepcyjny. Dla innych nie do zniesienia był fakt zmieniania w ich obecności podpasek w trakcie menstruacji. Zaowocowało to w obu przypadkach wstrętem seksualnym. Z kolei w innych związkach mężczyźni kwitowali podobne zachowania kobiet stwierdzeniem: „Mi to nie przeszkadza".

Jest też przekonanie, że zdrada ze strony żony o wiele bardziej zagraża trwałości związku niż ze strony męża.

Bywa bardzo różnie. Ten pogląd wynika z przekonania, że kobiety mocnej angażują się uczuciowo i są skłonne szybciej do zerwania więzi na rzecz nowego związku niż „wygodny i kalkulujący" mężczyzna. Nie jest to reguła. Miałem wiele przypadków mężczyzn, którzy zmieniali swoje życie dla nowej partnerki, oraz kobiet, które wycofywały się z romansu, bo miały dzieci i nie chciały kończyć związku.

Panie profesorze, co jest największym wrogiem miłości? Dziecko, brak pieniędzy, kariera, nieudane życie erotyczne, pragnienie wolności czy brak pracy?

Dla miłości dużym zagrożeniem jest to, kiedy ludzie przestają być dla siebie atrakcyjni.

Intelektualnie i fizycznie?

Tak. Jeśli ta druga osoba nie jest już atrakcyjna, fascynująca, to ma to nawet większe znaczenie od kwestii finansowych. Bo przecież zdarza się, że ludzie plajtują, a potem podnoszą się z tego. Owszem, brak pracy może zniszczyć związek. A dokładniej: nie tyle brak pracy, co podejście do bezrobocia. Jeśli ktoś tylko wysyła swoją ofertę i czeka, to brak zaangażowania, starań może zniechęcić drugą osobę do partnera. Bo jaki on/ona wysyła sygnał? Otóż nie można na mnie polegać, nie dam ci poczucia bezpieczeństwa i oparcia, ryzykujesz tym, że możesz się na mnie zawieść. Poza tym: poddałem/poddałam się i przyjmuję pozycję pasywną. Natomiast jeśli ktoś robi wszystko, żeby znaleźć zajęcie, etat albo rozkręca własną działalność, dokształca się, to taki związek ma szansę przetrwać. Znam wiele par, które rozpadły się przez brak pracy. Zdecydowanie bardziej narażone na to są związki, w których pracę traci mężczyzna. Dlaczego? Z prostego powodu: przestaje wtedy działać męski autorytet. A w jego własnych oczach spada mu samoocena. W ślad za tym idzie zobojętnienie uczuciowe, wręcz rodzaj pogardy kobiety wobec mężczyzny. Często w takich przypadkach kończą się uczucie, seks i powoli wszystko zamiera.

Bardzo często w naszej rozmowie podkreśla pan rolę seksu. Dlaczego jest on aż tak ważny?

Brak seksu to jest jedna z najgorszych rzeczy, jaka może się przytrafić. Nie tylko chodzi o brak zaspokojenia, bo przecież można się masturbować. W miłości w gruncie rzeczy nie chodzi o zaspokojenie seksualne. Seks ma charakter więziotwórczy. Zawiera się w nim zjednoczenie, bliskość, czułość. Jeśli para nie uprawia seksu dłużej niż 14 dni, to pojawia się niepokojący dystans ciała, a to zazwyczaj bardzo szybko pociąga za sobą dystans w emocjach. Bardzo niebezpieczna sprawa. W wersji optymistycznej: związek przechodzi wtedy na poziom przyjaźni. Można tak żyć, ale to już nie jest miłość.

Czy istnieje przyjaźń między kobietą a mężczyzną? Czy to kolejny mit z pogranicza życia erotycznego?

Moim zdaniem istnieje przyjaźń bez seksu w relacjach męsko-kobiecych, chociaż nie ukrywam, że seks zawsze tam gdzieś jest pod skórą. Oczywiście jeżeli obie strony określą: w naszej relacji nie ma mowy o seksie i konwencja przyjaźni jest jasno określona, to może to się udać. Pod pewnymi warunkami oczywiście. Seks może być „podskórny" w tej relacji, ale od mądrości obu stron zależy, czy przekroczą tę granicę, czy nie. Obie strony nie powinny prowokować takich dwuznacznych sytuacji. Taka przyjaźń (z seksem w nawiasie) może trwać i trwać.

Jeżeli im się jednak nie uda i przekroczą granicę seksu?

Wtedy związek przeobraża się z czystej przyjaźni w przyjacielską seksualność, tak bywa. Podobnie jak w drugą stronę: ekspartnerzy seksualni teraz się przyjaźnią.

Mam wrażenie, że czasem bywa tak: kobieta przyjaźni się z mężczyzną, ale tak naprawdę czując się bardzo samotnie w swoim związku, traktuje przyjaźń jako substytut dobrej relacji. Dostaje w nim to, czego nie ma w związku ze swoim partnerem.

Oczywiście, ludzie mogą się przyjaźnić, ponieważ po prostu podobnie myślą, odczuwają, widzą świat albo pracują w tej samej dziedzinie np. nauki albo dlatego, że po prostu się lubią. Często jest też tak, że w przyjaźni dostajemy to, czego nie mamy w związku z partnerem. Idealnie byłoby, gdyby partner w związku dawał nam to, czego oczekujemy. Tak czasami się zdarza, ale nie zawsze.

Czy taka „przyjaźń z obciążeniem" może być niebezpieczna dla związku, w którym się jest?

Na ogół nie, bo najbardziej niebezpieczne dla związku są wszystkie „pioruny sycylijskie", te zaiskrzenia, impulsy, to, co jest nagłe, intensywne. W przyjaźni jest większa możliwość podjęcia decyzji. Np. przyjaźń trwa długo i jedna ze stron nagle odkrywa, że ta druga osoba za bardzo zaczyna się jej podobać. Wtedy można np. rzadziej się spotykać albo na bardziej neutralnym gruncie. Można o wiele więcej zrobić, żeby nie dopuścić do zmiany statusu przyjaźni. Ale z drugiej strony znam też kilka par zaprzyjaźnionych ze sobą, które na pewnym etapie swojego życia wymieniały się... partnerami. I dobrze im z tym było. Nadal się lubili. Bardzo częste jest nawiązywanie relacji erotycznych z partnerami z zaprzyjaźnionych związków. Jest to tym łatwiejsze, że wiele zaprzyjaźnionych par często się spotyka, spędza wspólnie urlopy. W miarę upływu czasu odkrywa się nowe atrakcyjne cechy innych. W dużym gronie znajomych łatwiej poznać bliską sobie osobę, zaprzyjaźnić się z nią. Rodzi się poczucie bliskości, porozumienia, ciepła. Przyjaźń może ulec erotyzacji: druga osoba zaczyna pociągać seksualnie, staje się coraz bardziej atrakcyjna. Wiele zwierzających się mi osób mówi, że zwiastunem przyszłego romansu były pojawiające się sny erotyczne z udziałem przyjaciela czy przyjaciółki. I tak to się zaczyna. Rubikon seksualny został przekroczony. Różny bywa czas trwania tego typu romansów: od kilku spotkań do wieloletnich związków. Kochankowie z reguły się nie rozwodzą i wszystko pozostaje w ukryciu. Czasami bywa tak, że mąż przyjaciółki czy żona przyjaciela jest owocem zakazanym – czyli czymś, co jest niezwykle atrakcyjne seksualnie. „Konsumpcja" seksualna realizuje potrzebę zerwania owocu zakazanego i najczęściej to wystarcza. Dość charakterystyczne są zachowania wobec partnerów zdobytego „owocu zakazanego". Mężczyźni wobec męża kochanki często ujawniają zakłopotanie, skrępowanie i przyjaźń z nim zaczyna gasnąć. Z kolei kobiety wobec żony kochanka zaczynają ujawniać bardziej sympatyczne zachowania. Dążą do okazywania przyjaźni, dają im upominki, są chętne do wyświadczania przysług.

To ciekawe. Czyli mam zacząć być podejrzliwa, jeżeli znajoma z zaprzyjaźnionej pary nagle ma wobec mnie bardziej ciepłe uczucia niż zwykle?

Bywa też jeszcze ciekawiej. Czasami motywem romansu z mężczyzną z zaprzyjaźnionego związku może być np. atrakcyjność jego żony, ocenianie tego związku w gronie znajomych jako wyjątkowego, o wielkiej sile miłości, uosabiającego sukces życia we dwoje. Ducha rywalizacji mogą również prowokować zwierzenia o nadzwyczajności danego związku, stwierdzenia o wielkiej miłości, eksponowanie własnej atrakcyjności, a u męża cnoty wierności i bezgranicznego zakochania. Doprowadzenie do romansu poprawia własną samoocenę, daje „słodki smak zemsty", utwierdzenie w przekonaniu, że nie ma ideałów, wiernych mężów czy żon. Po realizacji upragnionego celu romans przestaje być interesujący i nie ma już motywacji do jego kontynuowania.

Mówi się często, że dziecko umacnia stygnącą miłość.

Ależ nie! Najczęstszym sygnałem zapowiadającym rozpad związku jest... lepszy seks albo właśnie dziecko.

?

Przy wygasających uczuciach dla obojga partnerów perspektywa rozstania stanowi tak duże zagrożenie, że nagle pojawia się w związku jakiś element więziotwórczy, który jest nieprzewidywalny. Sytuacja dość typowa: w związku została podjęta decyzja o rozstaniu. W tym przypadku nieważne, czy jednostronna, czy wspólna. Mogą wtedy pojawić się wspomnienia, poczucie utraty, żalu, lęk przed samotnością, nieoczekiwany wzrost atrakcyjności drugiej osoby itp. Nic zatem dziwnego, że w stanie takiego stresu dochodzi do wybuchu pożądania i namiętności. Niejedna para wspomina seks w tym stanie jako zaskakująco atrakcyjny. W szale zmysłów zapomina się o antykoncepcji. W jednym ze znanych mi związków po decyzji o rozstaniu partnerzy przestali ze sobą współżyć seksualnie, a kobieta przerwała przyjmowanie antykoncepcji hormonalnej, „bo była już niepotrzebna". Nie przewidziała jednak szału zmysłów. I stało się. O tym, że w stanach zagrożenia może rosnąć pożądanie i zdolność płodności, wiadomo od dawna. Albo inna sytuacja: on decyduje się na odejście. Ona próbuje jeszcze walczyć. Bardzo to przeżywa, płacze. On to rozumie, pociesza, przytula. Dochodzi do pożegnalnego seksu. A później ciąża. On uważa, że ją perfidnie zaplanowała, aby go zatrzymać. Co się dalej dzieje? Dochodzą do porozumienia, związek trwa już następne pięć lat, jest w miarę udany. I drugie dziecko jest w drodze.

Czyli w tym przypadku dziecko scementowało ten związek.

W tym przypadku tak, ale dlatego że im się tylko zdawało, że ten związek jest pusty. Tak naprawdę był pełen uczuć i namiętności. Oczywiście więcej jest sytuacji bez happy endu, kiedy dziecko pojawia się w związku, w którym nie ma już co zbierać: uczucie minęło, jest tylko wzajemna niechęć, brak szacunku, obrażanie się, nawet nienawiść. Żadne, nawet najsłodsze i najmniej kłopotliwe dziecko takiej relacji nie uleczy. Nie ma na to najmniejszych szans. Innym wariantem pojawienia się dziecka w kryzysowej dla partnerów sytuacji jest przypadkowe spotkanie po rozstaniu. Odejście od siebie było dramatyczne, ale racjonalnie określone jako konieczne, oboje mają już nowe związki. Spotkali się przypadkiem. Zdarza się, że były partner czy partnerka związani z kimś innym zyskują na seksualnej atrakcyjności. Rozmowa i wiążące się z nią emocje wyzwalają pożądanie. Oboje dochodzą do przekonania, że seks to nic złego, i tak nic się nie zmieni, to tylko takie kolejne pożegnanie. Pod wpływem emocji nawet nie myślą o zapobieganiu ciąży.

Jakie są losy tego typu związków?

Możliwe są wszystkie warianty, np. renesans związku, o którym opowiedzieliśmy wcześniej, samotne macierzyństwo, wybuch wzajemnej wrogości, kryzys w nowym związku, rozdarcie z powodu ojcostwa, sprawdzanie ojcostwa, wojna o alimenty. Bywają i ciekawsze sytuacje, np. rodzice mężczyzny zaopiekowali się niedoszłą synową i dzieckiem, żona byłego partnera nakłoniła go do uznania ojcostwa, świadczeń alimentacyjnych i opiekowania się dzieckiem, obecna i była partnerka (już w roli matki) zaprzyjaźniły się ze sobą i odrzuciły „niedojrzałego" sprawcę kłopotów...

Mówi się często: „Ona złapała go na dziecko i biedak musiał się ożenić"...

Łapanie na ciążę jest znacznie bardziej skomplikowane, nie chodzi tylko o zobowiązania mężczyzny wobec partnerki. Często zdarza się zupełnie odwrotnie, kiedy to mężczyzna... planuje ciążę partnerki. Zdarza się, że kobieta jest rozczarowana związkiem, zmęczona niezbyt udanym życiem i zapowiada rozstanie. Jeszcze razem mieszkają i współżyją, ale wyczuwalne jest zbliżające się rozstanie. Jeżeli w danym związku zapobiega się ciąży poprzez stosunki przerywane, to sprowokowanie ciąży jest łatwe. Podobnie bywa w przypadku stosowania prezerwatywy. Nietrudno ją przedziurawić. Partner liczy na to, że partnerka po zajściu w ciążę zrezygnuje z zamiaru odejścia, a ciążę donosi. I będą żyli długo i szczęśliwie. Czasami tak się dzieje, czasami nie.

Kariera jednej ze stron zawsze doprowadzi do rozpadu związku?

No tak, to jest duży problem. Znam coraz więcej związków, które szybko rozpadły się z powodu robienia kariery przez jedną ze stron. Co dziwniejsze, były to związki niezwykle udane i nic nie wróżyło, że przytrafi im się takie nieszczęście. Na przykład pracownica firmy farmaceutycznej była w świetnym, kochającym się związku z wartościowym mężczyzną. Przyjęła propozycję awansu w firmie, standard życia rodziny błyskawicznie się podniósł. Wszystko byłoby dobrze, gdyby nie to, że nie ma jej w domu przez dwa tygodnie w miesiącu. Oczywiście ona jest raczej zachwycona wyjazdami, nowymi propozycjami, premiami, sukcesami, tym, że ją chwalą.

Mężczyzna, zgaduję, jest rozjuszony całą sytuacją.

Wiadomo, ma dodatkowe obowiązki, na głowie dom i dzieci. Ona nie do końca potrafi zadbać o komfort rodziny, nie zdaje sobie sprawy, że sytuacja wymyka się jej spod kontroli. Oboje nie umieją o tym porozmawiać, nie znajdują kompromisu i porozumienia. Rozwód – co ciekawe, dzieci zostają przy nim. Relacje są między nimi w miarę dobre, ona spotyka się z dziećmi, ale nie rezygnuje z kariery. To jest taki dosyć spektakularny przykład zaprzepaszczenia związku na rzecz kariery, ale nie jest to znowu takie rzadkie. Czasami bowiem trzeba wybrać, stanąć przed lustrem i odpowiedzieć sobie na proste pytanie: „Kto jest dla mnie najważniejszy?". Bo jeżeli ludzie się kochają, to najważniejszy powinien być partner. I nie chodzi mi o to, że kobiety czy mężczyźni powinni rezygnować z każdej propozycji lepszej posady. Tyle tylko, że jeżeli proponuję komuś pracę w Londynie, to ten ktoś nie powinien wpadać do domu z okrzykiem: „Wyjeżdżam do Londynu!". Takie zachowanie oznacza pierwszy element kryzysu w związku. Poważna propozycja pracy powinna być przedyskutowana: „Co ty na to? Będziemy się rzadziej widywać, jak się będziemy z tym czuli, w jaki sposób wpłynie to na nasz związek?". Takie ustawienie sprawy, zaczynanie od wątpliwości, mankamentów całej sytuacji, sprawia, że partner lub partnerka zaczyna dyskutować, chce sprawdzić, a może będą jakieś jaśniejsze strony całej sytuacji. Poza tym czuje się w miarę bezpiecznie i ma dowód, że druga strona ją kocha i zdaje sobie sprawę z ryzyka dla związku, miłości, rodziny. A praca ma temu właśnie służyć: żeby się lepiej, szczęśliwiej żyło.

Czyli ta pani z firmy farmaceutycznej nie kochała swojego męża?

Kochała, tylko nie doceniła wagi sytuacji, nie przewidziała następstw swoich poczynań. Ona już pokochała tę pracę na tyle, że nie była w stanie z niej zrezygnować.

Ale z drugiej strony, wciąż się mówi o tym, że jeżeli kogoś kochasz, daj mu wolność. Ile może być wolności w miłości? Czy miłość zawsze wyklucza wolność?

Osoby z dużą potrzebą wolności, mające priorytety i potrzeby, będą o to w związku walczyły. I najlepiej, żeby ta druga strona szybko zdała sobie sprawę z tego, że to jest bardzo ważne. Jeśli priorytet tej drugiej osoby będzie naruszony, może się w związku źle zadziać. Jeśli ktoś lubi sobie pobyć w samotności, ma i zawsze miał taką potrzebę, nie należy mu jej zabierać. Podobnie, jeśli ktoś nie musi być ciągle w kontakcie z innymi osobami. Lub też inaczej: musi koniecznie spotykać się z kolegami/koleżankami raz w tygodniu, bo taka jest tradycja ciągnąca się od dawien dawna.

A w domu płacze małe dziecko, żona sterana codzienną harówką albo stęskniony mąż, który nastawił się na wspólną kolację. Znam przypadek ojca, który zostawił żonę z noworodkiem urodzonym poprzedniego dnia, bo musiał pomóc koledze udekorować salę weselną.

To jest inna sytuacja. Jeśli obiektywnie nie ma czasu na rozrywki, bo dziecko jest małe, zawiesza się imprezowanie na jakiś czas – to chyba oczywiste i wymówki typu: „Przecież wiedziałaś/wiedziałeś, co lubię robić", powinno się zrewidować. Kolejny przykład, który jest w tej chwili bardzo często spotykany: Poznajemy osobę, której rozpadł się związek, ale ma dzieci. I silną z nimi więź. Odwiedza dzieciaki dwa, trzy razy w tygodniu plus święta i część wakacji. Ten mężczyzna zakochuje się i w jego życiu pojawia się nowa dama, tworzy się nowy związek. Ona jest jednak osobą zaborczą. I wtyka mu do głowy: „Za dużo, za często do nich chodzisz, za dużo dajesz im ze swojego czasu. Te dwa tygodnie wakacji są absolutnie niepotrzebne". Zaczyna być niebezpiecznie. Jeśli ona zaczyna mu ograniczać to, na czym mu bardzo zależało, związek może się bardzo szybko rozlecieć. Jej zazdrość o kontakty z dziećmi wynika z poczucia zagrożenia tamtą wcześniejszą relacją. To bardzo częste w przypadku zrekonstruowanych związków. Kobieta boi się, że mężczyzna wróci do byłej partnerki, a poza tym najczęściej po prostu nie podoba jej się, że wydaje na dzieci za dużo pieniędzy, które powinien, jej zdaniem, wydawać na nią. Jeżeli kobieta decydująca się na związek z „dzieciatym" nie uwzględni tego priorytetu, nie wróżę jej długotrwałej relacji, nawet jeżeli mężczyzna będzie w niej mocno zakochany. Niech priorytety zostaną. Moja rada: szukajmy takich osób, których priorytetów nie będziemy musieli modyfikować i odrzucać. Najlepiej, gdyby nasze scenariusze życiowe po prostu się nakładały. Wtedy nie musimy nikogo do niczego zmuszać. Znam parę, która połowę swojego życia spędziła na konnej jeździe, a drugą połowę – na filmowych dyskusjach. Albo inną, która nie wychodzi z kuchni, bo ich pasją jest gotowanie. Natomiast jeśli mają różne pasje, niech wypracują sobie kompromis. Wielbiciel muzyki wczesnego baroku wcale nie musi rozstawać się z fanką muzyki hip-hopowej. Wystarczy, że jedna i druga strona włoży na uszy słuchawki i odda się swojemu ulubionemu zajęciu. Są także na przykład osoby, które muszą spędzić kilka dni urlopu w samotności. Nie ograniczajmy im tej wolności.

A jeżeli potrzeba wolności mojego partnera to spotykanie się cztery razy w tygodniu z kolegami na piwie?

O, nie nie, to już jest przesada. Zwyczaje sprzed związku trzeba i należy modyfikować.

Ale partnerka powinna o tym powiedzieć?

To dla niego ma być oczywiste, ponieważ powinien się z nią liczyć. Jeżeli w jego hierarchii koledzy stoją wyżej od partnerki, to nie wróżę takiemu związkowi powodzenia.

Panie profesorze, zna pan taki miłosny mit: „Najważniejsze, że się kochacie. Wszystko inne się ułoży"?

To zarazem prawda i fałsz. Prawda, bo rzeczywiście są osoby, które jeżeli są kochane, potrafią wiele przetrwać, przełamać wiele barier, odnieść sukcesy wbrew przeciwnościom losu. I są ciągle silne miłością. To taka symboliczna para zakochanych na burzliwej łódce, która sobie wzajemnie pomaga, żeby dostać się do celu. Nieraz walczą razem o życie. Piękna rzecz. Podam skrajny przykład. Znam parę, która pomimo perypetii życiowych przetrwała największe życiowe dramaty. On miał sprawnie działającą firmę, która przynosiła wielkie dochody, mieszkali w pięknym domu, byli przyzwyczajeni do wysokiego standardu życia. Nagle plajta, stracili wszystko. Po jakimś czasie on znalazł pracę, zdecydowanie gorszą, ale taką, która pozwala na przeżycie. Bank zabrał dom, zamieszkali w niewielkim mieszkanku. Ponieważ się kochali, dawali sobie cały czas wsparcie i w tym małym mieszkanku są szczęśliwi.

Jak mistrz i Małgorzata.

Tak. Jest między nimi bliskość. Ale w twierdzeniu „Miłość wystarczy" kryje się pułapka nicnierobienia. Bo skoro jestem kochana i kocham, to się wszystko ułoży, nie trzeba nic z siebie dawać, nie trzeba pracować. Bo to, co jest – wystarczy.

A nie wystarczy?

Miłość sama nie wystarczy. Jeżeli będzie wytłumaczeniem dla gnuśności i usprawiedliwianiem własnego lenistwa, na pewno nie wystarczy.

Często mężczyźni i kobiety mówią: „Bierz mnie takim/taką, jaki/jaka jestem, albo wcale". Słusznie czy egoistycznie?

To nawet dobre podejście. Miłość polega na tym, że się akceptuje taką osobę, jaka ona jest, z jej wadami i zaletami. Kocha się konkretną osobę. Nie zgadzam się na to, co robi spora liczba osób, np. ona lubi w nim to, że jest romantyczny i często ją zaskakuje bukietem kwiatów, ale kompletnie nie akceptuje jego spóźniania się i bałaganiarstwa. Nie powinno być tak, że w naszym określonym modelu, który mamy w głowie, mieszczą się tylko określone cechy osobowości. Nasz partner pasuje do części tych cech, ale do innych w ogóle nie. Następują więc starania, żeby go w ten wymarzony model wtłoczyć: tu odciąć jakieś cechy, tu dodać, i tym sposobem uzyskać pożądaną formę. I jak już ten kształt się dopasuje, to wtedy cię pokocham. Nie, tak to nie ma. Albo akceptujemy, albo nici ze związku. Możemy też, wiedząc o słabych stronach naszego partnera, niektóre jego cechy złagodzić. Przypomina mi się jedna historia. Chłopak był dość impulsywnie reagujący, szczególnie podczas prowadzenia samochodu. Jak ktoś mu zajeżdżał drogę, od razu zwymyślał, pokazywał środkowy palec albo wyskakiwał, żeby dać w dziób innemu kierowcy. No i zakochana dziewczyna swoją empatią, życzliwą miłością spowodowała, że chłopak zaczął nad sobą pracować. Pozostał impulsywny, ale przestał uzewnętrzniać swoją agresję. Spokojnie mu powiedziała, na co się naraża. Ale aby doszło do takiej rozmowy i – co więcej – zmiany w sposobie zachowania drugiej strony, potrzebna jest miłość. W tym przypadku ona pokochała go z całą jego impulsywnością i to właśnie pomogło jej zmniejszyć skutki uboczne jego utrudniającej wszystkim życie cechy.

Wierzy pan w powiedzenie: „Stara miłość nie rdzewieje"?

Może tak być. Zwłaszcza jeśli następne miłości są płytsze od tej pierwszej. Jeśli ta pierwsza była najsilniejsza, a ta druga jest na zasadzie „niech już będzie, co ma być", to wtedy zdarza się takie odczucie. Wspaniały związek, ale rozpadł się z różnych przyczyn i później już takiej osoby się nie znajduje. No i teraz wchodzi się w związek, który w porównaniu z tamtą miłością nie ma absolutnie nic wspólnego, to siłą rzeczy nie zapomina się tego pierwszego uczucia. Kobieta na przykład pamięta, że prawie mdlała w ramionach dawnego partnera, a z tym obecnym jest po prostu całkiem fajnie i tyle. Natomiast jest także drugie znaczenie tego powiedzenia: oznacza, że ta przysłowiowa już „miłość z naszej klasy" zaczyna być zbyt mocno idealizowana. Obserwuję wśród moich pacjentów, kobiet i mężczyzn, taki mentalny „come back" do beztroskiego szkolnego czasu młodzieńczego, kiedy to wszystko było idealnie piękne, łatwe i przyjemne. To dosyć niebezpieczne, bo – jak donosiły skwapliwie media – mieliśmy do czynienia w przypadku portalu społecznościowego Nasza Klasa czy teraz Facebooka ze zrywaniem aktualnych związków i powrotem do dawnych miłości. Ta tęsknota potrafi być tak silna, że ludzie stawiają na szalę losy swoje, partnera i dzieci. Mogą się dziać dosyć dramatyczne historie.

Czy powroty do dawnych miłości zawsze kończą się klęską i ten partner, który zostawia rodzinę, bije z rozpaczy głową w ścianę, pytając: „Co ja najlepszego zrobiłem/zrobiłam?"?

Wie pani, życie jest tak bardzo barwne, że dajc przykłady na wszystkie warianty. Znam związek, w którym każde z nich miało już następne związki, ale wrócili do siebie, do pierwszej miłości i czują się szczęśliwi. W ich przypadku to jest właśnie ta platońska jedność, o której mówiliśmy. Uznali, że byli dla siebie przeznaczeni. Każde poszło swoją drogą, ale po latach wrócili do siebie i czują się wspaniale. Jedną z ważniejszych przyczyn powstania starych-nowych miłości jest fascynujące doświadczenie łączenia „starego" z „nowym". Po latach spotykają się osoby, które były związane ze sobą w okresie życia postrzeganym jako radosny, beztroski, zanurzony w świecie dziecka, a jednocześnie doświadczające uroków wchodzenia w świat dorosły. Po latach doświadczają metamorfozy drugiej osoby w atrakcyjną kobietę, mężczyznę. Pojawia się renesans więzi uczuciowej i fascynacji seksualnej, powrót do świata młodości. To jakby przeżywanie życia na nowo oddalające budzącą niepokój jesień życia. Partnerzy w związkach rekonstruowanych czują się odmłodzeni, mają więcej czasu dla siebie. To wszystko byłoby piękne, gdyby nie wieloletnie często życie w małżeństwie, posiadanie rodziny. Rodzą się dramaty i problemy. I z nimi często zgłaszają się do specjalistów przeżywający odejście partnera i powrót do byłego związku, rozdarci między powrotem do utraconego raju a poczuciem obowiązku i przyzwoitości nowo zakochani. Scenariusze mogą być naprawdę barwne i zaskakujące. Jeżeli para w młodości nie skonsumowała swojej miłości, po latach przy okazji ponownego spotkania niektóre kobiety dochodzą jednak do przekonania, że może niepotrzebnie tak broniły twierdzy dziewictwa. Albo nagle odkrywają, że pociąg seksualny do dawnej miłości jest silniejszy niż w przypadku obecnego partnera. Mężczyzna z kolei dochodzi do wniosku, że to była jednak wspaniała dziewczyna i podobnej do niej nie znalazł. I taka zrekonstruowana para idzie ze sobą do łóżka. Powroty do dawnych miłości zdarzają się również z jednego ważnego, a często bagatelizowanego powodu: to rodzice przed laty doprowadzili do tego, że związek się rozpadł. Młodzi ludzie wówczas się rozstali, ale nie czuli się szczęśliwi w związkach akceptowanych przez rodziców lub stworzonych „na złość" rodzicom. Po latach okazuje się, że więź uczuciowa nie ustała, że tęsknili za sobą i żałowali straconej szansy. I wiążą się ze sobą. Ale znam również inne przypadki, w których okazuje się, że porzucenie rodziny to był poważny błąd, a związek z przeszłości był niepotrzebnie idealizowany i więcej w tym wszystkim było chciejstwa niż realnej szansy na to, że się uda. Nie ma w takich wypadkach reguł.

Panie profesorze, co to znaczy „dbać o związek"?

Dbanie o związek to uwzględnianie potrzeb i oczekiwań drugiej osoby. I czasami po prostu trzeba nad tym popracować. Jeżeli nasz partner jest pieszczochem, to postarajmy się zaspokajać jego potrzeby. Albo kiedy potrzebuje zamknąć się na pięterku i malować czy słuchać muzyki przez kilka godzin, to uszanujmy to. Ważne, żeby drugiej osobie było z nami dobrze. Jeżeli zależy nam na związku, podchodźmy do niego z należną mu uwagą.

O sobie mamy zapomnieć?

Nie. Ale zacząłem od tego, że komuś zależy na tym, aby ten związek trwał. Jeśli dbamy o dobry nastrój drugiej osoby kosztem siebie, to jest masochizm. Wyobraźmy sobie kobietę, która trafia na fantastycznego faceta, według niej związek jest bardzo udany, on o nią dba, jest człowiekiem pracowitym, inteligentnym, prowadzą udane życie erotyczne. Ona zaklina: „Żeby to dalej trwało, żeby się nie zepsuło". No, moja droga, od ciebie też to zależy. Proste pytanie: co lubi twój mąż? Kuchnię włoską. To gotujcie włoskie potrawy, chodźcie do włoskich knajpek. Chyba że ona jej nienawidzi, to wtedy trzeba znaleźć coś innego w zamian. Radzę dbanie o związek, ale nie kosztem własnych potrzeb.

Jest taki stereotyp, że to kobiety lepiej dbają o związek. Jak to jest właściwie, czy to zależy od płci, czy od charakteru?

Jeżeli na związku bardziej zależy mężczyźnie, to on o niego zadba troskliwiej. Może być również tak, że któryś z partnerów wychował się w domu, który się rozpadł. Jako dziecko był skonfrontowany z rozpadem związku i cierpieniem. Ktoś z takim bagażem może być później bardziej zdeterminowany do dbania o związek po to, żeby się historia nie powtórzyła. Jeżeli są dzieci, to kobiecie bardziej będzie zależało, żeby ten związek trwał, bo ona więcej traci, gdyby się rozpadł. Statystycznie w gabinecie częściej słyszę właśnie od kobiet, że mimo płomiennych romansów, nie decydują się na zakończenie związku, bo – mimo wszystko – dbają o rodzinę i nie chcą zabrać dzieciom dobrego ojca.

Czy małżeństwo to gwarancja zadowolenia z życia seksualnego?

Absolutnie nie. Sukces związku zależy od wielu czynników. Z badań naukowych wynika, że udanemu związkowi sprzyjają: więź uczuciowa, udane życie seksualne, przyjaźń, przewaga podobieństw nad różnicami, pielęgnowanie uczuć, dialog, przezwyciężanie nudy i monotonii, umiejętność neutralizowania konfliktów. Aktywne życie seksualne jest jednym z częściej wymienianych elementów udanego związku. Aż 52 proc. mężów akceptuje życie seksualne pozbawione miłości (odsetek żon wynosi 37 proc.). O wiele ciekawiej przedstawia się sytuacja, jeżeli chodzi o związki bez ślubu: tutaj akceptacja dla seksu bez miłości jest prawie dwa razy większa, w przypadku pań – 67 proc., w przypadku panów – ponad 2/3 akceptuje taki stan. Wniosek? Udane życie seksualne może być gwarantem trwania związku bez miłości...

Czy można umrzeć z miłości?

Można. To można porównać z reakcją na bardzo silny stres. Rozumiem, że pani mówi o miłości zawiedzionej?

Na przykład. Albo gdy umrze osoba, którą kochamy.

Jeśli związek jest bardzo silny, znam przypadki, że kilka dni po śmierci jednej osoby druga też odeszła z tego świata. Nie była w stanie żyć. Taki związek to klasyczna relacja papużek nierozłączek. Jeżeli połówka odchodzi, to druga strona nie jest zdolna do życia.

Kiedy pan spotyka parę staruszków, którzy idą i trzymają się za ręce, co pan sobie o nich myśli?

Są takie pary, rozczulające papużki nierozłączki. Nie każdy ma predyspozycje do bycia w takim związku. Papużki nierozłączki to ludzie długodystansowi w uczuciach. Jak kogoś zaczynają darzyć uczuciem, to nie przestaną. Nie są chwiejni emocjonalnie, nie są zmienni. Mają relacje koleżeńskie, począwszy od szkoły podstawowej, przywiązują się na długo, są introwertyczni i bardzo emocjonalnie zrównoważeni. Bardzo sobie cenią przyjaźń z drugą osobą. Jeżeli jedno odnajdzie drugie w gąszczu ludzi i oboje się pokochają, to ten związek będzie trwał długie lata.

Czy w takim przypadku można mówić, że oni pracują nad związkiem, czy po prostu są związkiem i nie muszą nic robić?

Kiedy czytam różne poradniki na temat związków, to nieraz się uśmiecham. W jednym z nich, notabene dobrze napisanym, było stwierdzenie, że 99 procent udanego związku to jest praca, kompromisy, a 1 procent to miłość, namiętność itd. Przecież to jakiś koszmar. Z tego wniosek, że trzeba stale pracować, stale wypracowywać kompromisy. A gdzie tu radość, relaks, odpoczynek, swoboda. Bez przerwy trzeba tylko pracować nad związkiem... Ja bym powiedział, że te papużki nierozłączki to są szczęściarze, u nich kompromisy, dialog, stanowią 5 – 10 procent ich życia, a reszta to po prostu cieszenie się swoim szczęściem.

W moim pokoleniu wydaje się to niedościgłe...

Ale jest to możliwe. Tylko medialnie to jest nieciekawe. Bo o czym tu pisać? Że przeżyli razem 70 lat, bez dramatów, zdrad, konfliktów? Byłem kiedyś na uroczystości brylantowych godów w warszawskim ratuszu. Stoi para jubilatów, trzymają się za ręce, pomarszczone, uśmiechnięte twarze. Leci do nich facet z kamerą i pyta: „Tyle lat jesteście razem szczęśliwi, od czego to zależy?". A oni patrzą po sobie i nie wiedzą, co odpowiedzieć. Bo po prostu się cały czas kochają.

Co pan sądzi o opcji „fucking friends"?
Ja uważam, że to kolejny mit o tym, że w takiej relacji można być szczęśliwym. Dla mnie jest to emocjonalne łatanie dziury albo wygoda wynikająca z nieumiejętności bycia w prawdziwym związku.

Tyle tylko, że znam związki, w których ludzie się przyjaźnią i akceptują seks ze sobą, nie wyznając sobie miłości. Natomiast bardzo często jest to trochę bardziej skomplikowane – kryje się pod tym swoista ucieczka przed banalnością. Oni chcą być razem w łóżku, a że nie mogą powiedzieć po prostu: „Chcemy uprawiać seks bez zobowiązań emocjonalnych", dorabiają do tego uczucie przyjaźni. Ona ładniej brzmi niż taki seks dla samego seksu. Pewnie poprawia im to samopoczucie. Są także związki, w których przyjaciele uprawiają seks, ale każde z nich czeka na prawdziwą miłość. Znam kobietę i mężczyznę, którzy mają dzieci i każde z nich żyje w związku, ale uprawiają seks z osobą, którą nazywają swoim przyjacielem/przyjaciółką.

A nie mogą ich nazwać po prostu kochankiem/kochanką?

No nie, bo to by sugerowało większe zaangażowanie emocjonalne. W tym wypadku mamy czysty układ: seks nie wyewoluuje w coś większego, to zostało wcześniej ustalone, jasno i wyraźnie.

Ja bym tak nie mogła.

Wiem, że pani by tak nie mogła. Ale są takie osoby, dla których nie stanowi to problemu. Zresztą ten seks, który oni uprawiają w tej konfiguracji, jest inny. To nie jest wielka namiętność, pożądanie, czułość, fascynacja. Oni tego nie odczuwają. Robią to dla relaksu, dla zdrowia. Taki seks jest rekreacyjny, spokojny. To forma dostarczenia sobie przyjemności, ale bez szczególnej intensywności, po prostu dla odstresowania się i odpoczynku. On służy też rozmowie: bo takie osoby gadają sobie przed i po, a czasami i w trakcie.

Gej i kobieta – to według pana wyższa i najlepsza forma przyjaźni?

Bardzo często jest to dobra przyjaźń, która się sprawdza i jest satysfakcjonująca dla obu stron. Pod warunkiem że kobieta jest w stałym związku, bo kiedy jest singielką, a gej jest atrakcyjnym mężczyzną, może mieć inklinacje, żeby go z homoseksualizmu wyleczyć swoim czarem i wdziękiem. Rozkład uczuć w przyjaźni między kobietą a gejem jest dosyć ciekawy: gej jest „zakochany" w kobiecie, ale w sposób dla niego niezagrażający. Ona się także dobrze czuje, bo jego adorowanie jest pozbawione podtekstów seksualnych, natomiast ma dużą wartość, jeżeli chodzi o podniesienie damskiej samooceny. Nie ma przecież nic fajniejszego od uczucia, kiedy przystojny facet – niebędący jej partnerem – mówi kobiecie, jak bardzo jest piękna. Tylko jeszcze raz powtarzam: jeżeli kobieta chce altruistycznie uratować homoseksualistę dla świata i uczynić z niego heteroseksualnego mężczyznę, to na pewno nie uda jej się ta sztuka. Często kobiety zastanawiają się: „Może on się po prostu boi seksu z kobietą. A mnie zna i wcale nie musi się obawiać”. Tak również bywa: homoseksualista może spróbować seksu z przyjaciółką kobietą, ale w niczym to nie wpłynie na jego orientację. Znam też inny przypadek: kobieta była w związku z mężczyzną, który w miarę upływu czasu okazał się homoseksualistą. Związek się rozpadł z jego powodu, bo ona chciała kontynuować bycie w parze, ale on wybrał swój świat. Teraz są parą przyjaciół, nie uprawiają seksu, ale jedno może liczyć na drugie. Rozumieją się fantastycznie, piękna, bezinteresowna przyjaźń kwitnie, światy homoseksualne i heteroseksualne się przenikają. Wszyscy na tym skorzystali.

Rozdział IV.

Miłość w czasach popkultury

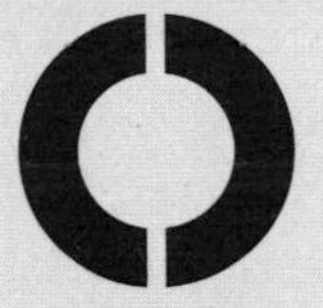

Rozdział IV.

Święty Paweł dobry na kryzys w związku / religia a miłość / jak radzić sobie z zazdrością / uwaga na wakacyjne romanse / niebezpieczeństwo związków wielokulturowych / czy Internet faktycznie pomaga ludziom samotnym / jak często mówić: kocham cię

Jaka jest ta dzisiejsza miłość wpasowana między romantyczność, niewierność a nowe technologie?

Jaka? Odpowiem pani moim ulubionym cytatem:

Miłość nie zazdrości,
nie szuka poklasku,
nie unosi się pychą;
nie dopuszcza się bezwstydu,
nie szuka swego,
nie unosi się gniewem,
nie pamięta złego;
nie cieszy się z niesprawiedliwości,
lecz współweseli się z prawdą.
Wszystko znosi,
wszystkiemu wierzy,
we wszystkim pokłada nadzieję,
wszystko przetrzyma.
Miłość nigdy nie ustaje,
[nie jest] jak proroctwa, które się skończą,
albo jak dar języków, który zniknie,
lub jak wiedza, której zabraknie.
Po części bowiem tylko poznajemy,
i po części prorokujemy.
Gdy zaś przyjdzie to, co jest doskonałe,

zniknie to, co jest tylko częściowe.
Gdy byłem dzieckiem,
mówiłem jak dziecko,
czułem jak dziecko,
myślałem jak dziecko.
Kiedy zaś stałem się mężem,
wyzbyłem się tego, co dziecięce.
Teraz widzimy jakby w zwierciadle, niejasno;
wtedy zaś [zobaczymy] twarzą w twarz.
Teraz poznaję po części,
wtedy zaś poznam tak, jak i zostałem poznany.
Tak więc trwają wiara, nadzieja, miłość – te trzy:
z nich zaś największa jest miłość.

Przez tyle wieków wyśpiewywano o miłości i tyle o niej napisano, ale tak naprawdę nie powstało nic bardziej trafnego na ten temat niż hymn św. Pawła.

Pan go ciągle cytuje?

Ten hymn to najlepszy tekst, jaki o miłości napisano. I wciąż jak najbardziej aktualny. Cytuję go często podczas terapii pacjentów, a także podczas swoich wykładów na uczelniach. Wielkość tego hymnu to nie tylko jego wymiar chrześcijański, a inspiracją nie jest jedynie natchnienie religijne. Jest on ewidentnie inspirowany wykształceniem klasycznym. Święty Paweł był obdarzony prawdziwie wielkim, wszechstronnym umysłem, który łączył w sobie tradycję kultury świata antycznego, judaistycznego z jego „Pieśnią nad pieśniami". Myślę, że jego słowa są na tyle uniwersalne, że czytane w innych kulturach także byłyby podziwiane. Bo jest, poza wszystkim, niesłychanie prawdziwy, piękny i właściwie zawierający w sobie wszystko to, co w miłości najważniejsze.

Warto sobie przypominać te słowa w kryzysowych momentach?

Warto nieraz przypominać dlatego, bo w trudnych chwilach ulegamy emocjom. Może wtedy warto zobaczyć, że to jest tylko sytuacja kryzysowa, która niedługo się skończy. Ja św. Pawła cytuję także w jego pięknym sformułowaniu: „Niech słońce nie zachodzi nad zagniewaniem waszym". Oznacza to ni mniej, ni więcej złotą małżeńską zasadę: „Nie kładźcie się spać w złości". Dlatego jeśli rozmawiam z ludźmi wierzącymi, którzy deklarują, że są praktykujący, wtedy odwołuję się do tych cytatów. Miałem niedawno parę bardzo religijnych ludzi, którzy mówili: „Kłócimy się bardzo często i nawet przez tydzień nie rozmawiamy ze sobą". Wtedy każę im przeczytać cytat ze św. Pawła. I skutkuje. Bo problem trzeba rozwiązać. Najlepiej do momentu zaśnięcia. Bo każdego dnia karty są rozdawane od nowa.

Jak się ma miłość, a co za tym idzie seks, w czasach światowego kryzysu? Czy jakoś na nią wpłynął?

Wszyscy uważali, że powinna nastąpić depresja i załamanie. A u niektórych osób jest wręcz odwrotnie. Zgodnie z hedonistyczną zasadą „carpe diem" pojawia się chęć szukania zapomnienia w seksie i innych przyjemnościach. Być może w tym „kryzysowym hedonizmie" wyraża się instynkt przetrwania, „przekazania genów". Okazuje się, że jeżeli standard życia się pogorszy, ale partnerzy się z tym godzą, miłość rozkwita, a seks staje się bardzo atrakcyjną formą relaksu.

Dlaczego tak się dzieje?

Z powodu zmiany priorytetów i hierarchii wartości. Pracoholizm traci sens, skoro w każdej chwili można utracić pracę. Zamiast zarabiania kolejnych tysięcy większą wartość zaczynają mieć święty spokój, spotkania z przyjaciółmi, kolacje przy świecach. Okazuje się, że nawet jeżeli nie czujemy strachu przed nadchodzącym kryzysem, częściej rozmawiamy ze swoim partnerem czy partnerką, jesteśmy wobec siebie bardziej czuli – to powoduje, że związek lepiej funkcjonuje.

Razem przeciwko groźnemu światu?

Tak, w sypialnianym zaciszu zapominamy i uciekamy przed rzeczywistością. Ale oczywiście nie wszystkie pary tak reagują. Są też inne, powiedziałbym, bardziej konwencjonalne historie. Sporo moich pacjentów po bankructwie firmy czuje się przegranymi i ucieka w seks, w nim szuka zapomnienia, możliwości odprężenia się i dowartościowania w innej roli. Czasami w ramionach partnerki, a czasami (jeżeli ona nie okaże mu zrozumienia i ciepła, za to zademonstruje swój żal, rozczarowanie i pretensje) rolę pocieszycielki przejmie inna kobieta – kochanka lub prostytutka. Dzieje się tak w związkach, w których mężczyzna pełnił rolę dostarczyciela pieniędzy. Po bankructwie zmniejsza się jego atrakcyjność. Bywa też inaczej. Znam pary, w których zarówno mężczyzna, jak i kobieta prowadzili swoje firmy, ale to jej firma przetrwała, wychodząc zwycięsko z oka kryzysowego cyklonu. Teraz kobieta więcej zarabia, utrzymuje dom. Dla niektórych mężczyzn jest to sytuacja nie do zniesienia. Czują upokorzenie. Przekłada się to na emocje i seks. Kryzys, swoją drogą, to dobry test jakości relacji między partnerami.

Czy miłość w XXI wieku jest trudniejsza od miłości na przykład XIX-wiecznej?

Na współczesną miłość nałożono sporo ciężarów. Ma być gwarantem naszego szczęścia, ma nas rozwijać, trwać całe życie (podkreślmy, że dzisiaj żyjemy dłużej niż 100 lat temu, dlatego ona powinna też trwać dłużej), dostarczać nam ekstazy i jeszcze pomagać w wychowaniu dzieci. Nastąpiła niezwykła zmiana jakości sztuki miłosnej. Niewielu z nas zdaje sobie sprawę z tego, jakie było życie seksualne prababć współczesnych trzydziestolatek.

Koszmarne noce poślubne...

Nawet jeśli mielibyśmy bardzo bujną wyobraźnię, trudno by nam było ogarnąć to, co się działo w sypialniach sprzed 100 lat. Myślimy sobie, że skoro on ją kochał, to pewnie okazywał to w łóżku. Niestety, muszę czytelników sprowadzić na ziemię z obłoków sentymentalnych wyobrażeń. To, co się działo w większości sypialń, jest obecnie trudne do pojęcia. „Miesiąc miodowy" ładnie brzmiał tylko z nazwy, a tak naprawdę oznaczał częste odczuwanie bólu przez kobietę. Po pierwsze, kobieta rozpoczynała swoje życie seksualne w noc poślubną pełna strachu przed defloracją i nieznanym. Po drugie, długo oczekujący na tę chwilę mąż szybko dążył do zaspokojenia swoich potrzeb. Czyli typowe współżycie ograniczało się do krótkich pieszczot i szybkiej penetracji, krótkiego czasu trwania stosunku. Niewiele kobiet przeżywało orgazm, bowiem o istnieniu i roli łechtaczki nic nie wiedziano. Dopiero rewolucyjna książka „Małżeństwo doskonałe" autorstwa Theodoora Hendrika van de Velde, opublikowana w 1926 r., przetłumaczona na większość języków europejskich, przełamała tabu milczenia na temat seksu i zrewolucjonizowała sztukę miłosną w Europie. Przed jej wydaniem właściwie trudno mówić o sztuce miłosnej. Dzięki wspomnianej książce zaczęto dbać o pieszczoty, pobudzanie łechtaczki, dobór pozycji do budowy partnerów i osiąganie satysfakcji przez kobietę. Pojawił się w tych czasach model sztuki miłosnej polegający na tym, że bierna seksualnie kobieta oczekiwała inicjatywy ze strony partnera, poznania przez niego jej stref erogennych i zaspokojenia jej potrzeb. Partner przyjął rolę „nauczyciela miłości".

Lecz chyba już nadszedł definitywny koniec tej epoki.

Tak, ale dzieje się to dopiero od czasu rewolucji seksualnej w końcu lat 60. ubiegłego wieku. Wtedy zaczęto promować w sztuce miłosnej aktywność partnerki, odkrywanie tkwiącego w niej potencjału erotycznego i współpracę partnerów w udoskonalaniu sztuki miłosnej. Co się okazało? Że „nauczyciel miłości" powinien jeszcze postudiować. I to sporo, co najmniej kilka lat. Bowiem emancypacja kobiet, ich rosnące doświadczenie seksualne, praca kobieca, coraz więcej publikacji fachowych na temat seksu, poradników przyczyniły się do wzrostu oczekiwań wobec partnerów. I zaczęły się problemy. Pradziadek i dziadek może i komfortowo czuł się w sypialni, gdyż był sekspanem i władcą, nie czuł się zagrożony w roli kochanka, bowiem nie był porównywany z innymi mężczyznami. Ale już ich wnuk i prawnuk coraz częściej ma do czynienia z doświadczoną i rozbudzoną seksualnie partnerką, z rosnącą poprzeczką wymagań, oczekującą „domyślenia się, czego chce i potrzebuje", zaspokojenia jej upodobań, doprowadzenia jej do orgazmu. Gorzej (dla niego), jeżeli partnerka ma równy lub wyższy od jego poziom potrzeb seksualnych. Pojawia się wtedy dylemat – czy będzie w stanie zaspokoić jej potrzeby?

Niestety, od jakiegoś czasu zabrakło bardzo ważnego spoiwa, który gwarantował stałość związku: religii. Kiedyś takim fundamentem była wiara. Wiadomo było, że osoba wierząca, praktykująca ma ślub kościelny. Wiara dawała pewność. Nawet jeśli upadniesz, będziesz mieć chwilę słabości, to wiara sprawi, że ten związek się nie rozpadnie. W przeszłości regulowała codzienne życie ludzi. Jak bardzo ważny był rytm świąt i to, że pary szły razem do kościoła, przystępowały do sakramentów: do spowiedzi, komunii! Wszyscy dokładnie wiedzieli, czy Kowalscy spowiadali się w tym miesiącu, czy nie. W czasie kolędy ksiądz rozmawiał z rodziną. Kościół regulował także sprawy seksu, nie zezwalał na rozwody. Mocno podkreślano wystawne ceremonie: ślub kościelny, chrzty, rocznice małżeństw. To było bardzo mocno podkreślane. Wiele osób ze względu na religię rezygnowało np. ze szczęścia i spełnienia osobistego (skrajnym przypadkiem mogą być żony alkoholików, którym dawano radę, aby „niosły swój krzyż tak jak Chrystus"), nie dokonywało ryzykownych wyborów czy decyzji. Kiedyś nie do pomyślenia było życie na kocią łapę. Dzisiaj również katoliccy rodzice nie mają wpływu na to, że dzieci mieszkają razem ze swoimi partnerami. Odejście od nauk Kościoła jest coraz bardziej powszechne, zarówno jeżeli chodzi o seks przedmałżeński, jak i antykoncepcję. A para, która nie ma ze sobą najlepszych relacji, może mieć silniejszą motywację do naprawy związku, jeżeli jest to motywacja religijna. Wyobraźmy sobie parę, która na serio traktuje religię i realizuje ideę „kościoła domowego", przez co ma poczucie, że ich relacja ma wymiar metafizyczny, nadprzyrodzony. To może na pewno ich spajać i dawać siłę do pracy nad tą relacją. Bardzo wysoko cenię takie kościelne rytuały, jak odnowienie ślubów małżeńskich czy rekolekcje dla małżeństw. Jeżeli mają łaskę wiary autentycznej, to hierarchia wartości bardzo im pomaga. I nie chodzi tu wyłącznie o wyznawców wiary chrześcijańskiej. Przyszło do mnie kiedyś małżeństwo muzułmańskie. I dla nich też miałem kilka cytatów z Koranu. Ich problem polegał na tym, że mężczyzna miał ogromne potrzeby seksualne i realizował je z żoną, często i nagminnie nie dbając o to, czy ona także ma ochotę. Powoływał się na cytat z Koranu, który brzmiał „Korzystajcie, jak chcecie z pola uprawnego". Wykombinował sobie, że to może odnosić się do jego relacji z żoną. Wobec tego ja zacytowałem mu fragment z Koranu: „Szanujcie swoje żony".

Co on na to?

Zgłupiał. Dlatego że kiedy jest wojna między partnerami, to siłą rzeczy każde z nich interpretuje cytaty z pism świętych jak najbardziej pod swoim kątem i korzystnie dla siebie. No, ale Koran akurat także bierze kobiety w obronę. Rezultat był taki, że mężczyzna uspokoił się, bo religia była dla niego na tyle ważna, by zmienić swoje zachowanie. Uważam, że terapeuci powinni znać przynajmniej w stopniu dostatecznym najważniejsze dzieła religijne. U nas jeszcze jest to rzadkie, ale w krajach wielonarodowościowych, takich jak np. Wielka Brytania, terapeuta coraz częściej będzie miał do czynienia z pacjentami z różnych kultur i dobrze, aby mógł sięgać do bliskich im tekstów teologicznych. Czasami, w przypadku bardzo zajadłych konfliktów, może to być koronny argument.

Łatwiej się pracuje z ludźmi wierzącymi?

Inaczej. Trzeba dobierać inne argumenty, można się też odwoływać do ważnego dla nich systemu wartości. Ci głęboko wierzący są skłonni szybciej zrezygnować ze swojego egoizmu na rzecz trwałości związku. Są jednak też tacy, którzy wykorzystują religię w służbie swojego lenistwa. Uważają, że skoro jako para są ludźmi wierzącymi, to druga strona ma obowiązek być wierna, nie ma prawa mieć wątpliwości czy rozterek, nie mówiąc już o rozwalaniu związku. Dla nich religia jest gwarancją trwałości związku. Tym samym zwalnia ich to od dbania o relacje z partnerem. Są też tacy, którzy religię wykorzystują do wojny ze swoim mężem lub żoną. I ci są najbardziej perfidni. Wybierają to, co im się przydaje, np. przywołany wcześniej cytat: „Chrystus też cierpiał", wobec tego jego partner czy partnerka także musi cierpieć. Natomiast on nie. Wiele cytatów może zaczerpnąć właśnie z Biblii, która jest niesłychanie antyfeministyczna. Na szczęście można w niej znaleźć także sporo cytatów prokobiecych. Religia może być czynnikiem spajającym związek, jeżeli jest autentycznie przeżywana i rozumiana. Ale podkreślam, to nie jest gwarancja sukcesu związku.

Skoro wiara przestała być spoiwem dla związków, to na czym budować siłę współczesnych relacji?

Na przykład na wierze w miłość, w to, że partner jest na tyle dojrzały, że uda się z nim zbudować trwały związek. Ludzie chcą wierzyć, że partner ich nie zawiedzie, nie zdradzi, będzie odporny na pokusy. Niestety, często przeszkadza w tym znajomość przeszłości partnera – jeżeli była ona szumna i pełna przygód i każdy jego/jej związek powstawał szybko i jeszcze szybciej się kończył, nie ma gwarancji, że ta relacja, w której jest teraz, będzie trwała długo. Kobiety i mężczyźni trafiający do mojego gabinetu pytają często: „Z czego ma wynikać jego/jej odporność na pokusy? Bo mnie kocha? Ale przecież dokoła jest pełno przykładów: ludzie deklarujący, że są zakochani, nagle robią skok w bok i następuje koniec związku. Wystarczy poobserwować celebrytów". Dlatego najgłośniejszym krzykiem współczesnego człowieka w związku jest potrzeba wiary, że jest się kochanym i nie będzie się zdradzonym, że druga strona dochowa wierności. I to jest największy problem miłości w czasach popkultury. Bo jeżeli oboje partnerzy są atrakcyjni, podobają się płci przeciwnej, pracują w miejscach, gdzie łatwo nawiązuje się znajomości, to zazdrość drąży. Tym samym miłość jest narażona na duży szwank. Dużo związków się rozpada, bo nie wytrzymują ciśnienia, zazdrości właśnie. Znam wiele przypadków, kiedy w związku jedna strona nękała drugą ciągłymi podejrzeniami o zdradę.

**Jak żyć z takim bagażem?
Można go odrzucić i się wyzwolić?**

Jeśli chodzi o bagaż przeszłości partnera, to trzeba go sobie racjonalnie wytłumaczyć. Nie jest to proste, bo rozum kłóci się z sercem i emocjami. Jedna z moich pacjentek, która przyszła znękana podejrzeniami o zdradę ze strony swojego partnera (miała w przeszłości sporo romansów w trakcie swojego pierwszego małżeństwa), powiedziała mi: „Na pierwszy rzut oka wszystko wygląda cacy. Jesteśmy razem, wiemy, że to, co było – minęło, obiecaliśmy sobie wierność, okazujemy sobie czułość i jesteśmy zadowoleni ze swojego związku. Ale poczucie zagrożenia i niepewności, że to, co trwa, za chwilę może runąć, towarzyszy nam cały czas. On mnie podejrzewa o zdradę, ale prawdę mówiąc, ja jego też staram się kontrolować". Oto sygnał czasu. Kiedyś kobieta mogła spać spokojnie, bo rozwód, rozstanie, był niemożliwy z prawnego punktu widzenia, nawet jeżeli jej mąż zakochał się w innej. To nie miało znaczenia: były dzieci, dom, wspólny majątek. Tyle tylko, że może on bywał rzadziej w domu i był mniej wylewny w uczuciach. Dzisiejsze życie z niepokojem w sercu jest męczące. Obie strony są wyczulone na wszystkie, nawet najbardziej delikatne sygnały zdrady. Próbuje się im przeciwdziałać. Kontroluje mejle, sprawdza SMS-y, ogranicza spotkania ze znajomymi, którzy się niebezpiecznie zbliżają. Niedawno przyszła do mnie para młodych ludzi zaangażowanych religijnie ze sporym problemem. Ich znajomy ksiądz zbyt często zaczął bywać u nich w domu. Mąż ukrócił te spotkania, bo poczuł się zagrożony. Każdy chce, żeby jego miłość trwała wiecznie.

Ale podkreślam, że najgorszy rodzaj zazdrości, jaki można sobie wyobrazić, i najbardziej niszczący to właśnie zazdrość o przeszłość partnera/partnerki. Miałem do czynienia ze związkami, które skończyły się w jednej chwili: w momencie kiedy w sypialni padło imię ekspartnera/ekspartnerki i to w dodatku w czasie aktu seksualnego. Mam wrażenie, że chociaż obie płcie mogą być równie zazdrosne, znajomość przeszłości erotycznej partnerki jest dla mężczyzn bardziej istotna niż dla kobiet przeszłość partnera.

Dlaczego?

Wynika z potrzeby posiadania kobiety na własność, z męskiej ambicji, braku poczucia bezpieczeństwa w związku, niepewności w roli partnera i niepokoju, jak wypada się w porównaniu do ekspartnera. Niekiedy przeszłość partnerki jest tak trudna do zniesienia, że wywołuje nieopanowaną zazdrość, zwłaszcza jeżeli więź seksualna między dwojgiem ludzi pozostawia wiele do życzenia. Nie namawiam więc kobiet do szczerych zwierzeń na temat własnej przeszłości seksualnej. Potrafią one być dla ich partnerów niezwykle stresujące. Proszę sobie wyobrazić, że on słyszy: „Mój ekspartner miał większego członka"! Albo że stosował wiele rozmaitych technik seksualnych, o których ten nie ma pojęcia. Co taki mężczyzna może sobie pomyśleć? Świadomość bycia gorszym od poprzednika wzbudza nie tylko trudną do zniesienia zazdrość, ale także obniżenie poczucia wartości, kompleksy, zahamowania seksualne. W takich przypadkach emocje mogą być tak silne, że nierzadko zazdrość powstała w ten sposób może doprowadzić do dramatów. Miałem pacjenta – człowieka sukcesu – który był trzecim mężem również kobiety sukcesu. Miłość od pierwszego wejrzenia – oboje bardzo do siebie zbliżeni charakterami, nawet emocje wyładowywali podobnie, rzucając talerzami o podłogę. Wyznali sobie wszystko, również historie kolejnych związków. Kryzys przyszedł niespodziewanie, on przestał mieć ochotę na seks, powoli oddalali się od siebie. Jaka była tego przyczyna? On usłyszał liczbę jej byłych kochanków, a wynosiła ona 20. I w jego oczach zmienił się jej obraz. W dodatku, jak podkreślił, większość z tych facetów spotykał na imprezach towarzyskich. „Jej męski harem" – tak to określił, mimo że rozmawiało mu się z nimi bardzo sympatycznie. Poczuł, że dusi się w sypialni, bo – jego zdaniem – zapanował w niej prawdziwy tłok. Para rozwiodła się.

Mam kolegę, który ma świetny sposób, żeby uniknąć takiej przykrej historii, jak ta z wypowiedzeniem nieodpowiedniego imienia: i do żony, i do licznych kochanek mówi zawsze, bez względu na okoliczności: „Moje ty cudo!".

On należy do tej grupy szczęśliwców, którzy używają wobec swoich partnerek zdrobnień niewiążących się z imieniem. Jest ich mnóstwo, także zapożyczonych ze świata przyrody. „Misiaczku", „koteczku", „żabko" czy „słoneczko" – mają charakter uniwersalny i można je stosować wobec każdego partnera. Wtedy bezpieczeństwo jest zapewnione. Przy czym jego sytuacja jest inna, bo on faktycznie zdradza żonę. Mi chodzi o takie sytuacje, kiedy jeden z partnerów już samą przeszłość seksualną partnerki uważa za swojego rodzaju zdradę. Znam przypadki par, w których zazdrośni partnerzy (zarówno kobiety, jak i mężczyźni) domagają się zlikwidowania wszystkiego, co może się kojarzyć z byłym/byłą. I nie chodzi tu tylko o namacalne pamiątki typu zdjęcia, filmy, pocztówki, listy, ale także na przykład o wspólne ulubione nawyki: określoną muzykę, ulubione miejsca, restauracje. Jeden z moich pacjentów uważał za całkowicie normalne, że kiedy wprowadzał się do mieszkania kobiety, natychmiast zarządzał zmianę wnętrza. Był na tyle zamożny, że udawało mu się np. przebudować mieszkanie lub dom swojej partnerki.

Nawet nie próbuję sobie wyobrazić, jak się zachowuje, kiedy jego żona zwróci się do niego przez pomyłkę imieniem swojego poprzedniego partnera...

Zaręczam, że jeżeli było to w sytuacji łóżkowej, podniecenie u niego, tak samo jak i u innych mężczyzn, natychmiast opadnie. Nie mówiąc o atmosferze w łóżku. Taka osoba ma następujące refleksje: ona wciąż o nim myśli, na pewno w łóżku było jej lepiej z nim niż ze mną. Jak w takiej sytuacji można wierzyć zapewnieniom, że bardziej atrakcyjne jest obecne życie seksualne w porównaniu z przeszłością? Pojawia się poczucie zagrożenia, niepewności i zazdrości. Prawda jest taka, że spontanicznie wypowiadane słowa wiążące się z byłym związkiem mogą świadczyć o nadal istniejących uczuciach, atrakcyjności uczuciowej i seksualnej podobnej do aktualnego związku, przyzwyczajenia do stosowania tych słów w przypadku długotrwałego związku.

Jak się zachować, jeżeli zdarzy nam się taka niefortunna wypowiedź?

Na pewno nie mówić: „Kochanie, przesłyszałeś się" albo: „Ja? Ja tak powiedziałem/powiedziałam?" czy „To nic takiego". Dobrze jest przyznać się: „Przykro mi, że tak się poczułeś". Warto też podkreślić, że druga osoba jest teraz najważniejsza. Wyznania miłości i silnej więzi są ważne dla poczucia bezpieczeństwa.

Jak wyeliminować ze swojej świadomości poprzedniego partnera?

Jest to możliwe tylko w jednym przypadku: jeżeli obecny związek jest atrakcyjniejszy od poprzedniego. Tylko osoby monogamiczne nie muszą zapamiętywać coraz to nowych imion. W praktyce okazuje się czasami, że łatwiej przebudować dom czy usunąć tatuaż z imieniem swojej/swojego ekspartnerki/ekspartnera, niż zapomnieć jej/jego imię. Powtarzam więc: lepiej nie kusić zazdrości, radzę nie grzebać w przeszłości, nie budzić demonów. Zamiast szpiegować ekskochanki czy kochanków, lepiej poznawać środowisko swojego partnera/partnerki: ojca, matkę, rodzeństwo. I rozpoznawać te relacje, to nam więcej powie o mężczyźnie czy kobiecie.

Czy jeżeli zazdrość pojawi się w związku, można ją w jakiś sposób zneutralizować?

Na pewno trudno jest przekonać patologicznie zazdrosnego partnera o swoim nienagannym prowadzeniu się. Ale jeżeli w miarę normalnie funkcjonującym związku pojawi się problem zazdrości, zarówno kobieta, jak i mężczyzna powinni uznać ją za chwilową słabość, zamiast koncentrować się na niej i kreować z niej najpoważniejszy problem w związku. Z jednej strony nie dopuszczać jej do siebie, a z drugiej – w ten sposób pracować nad związkiem, aby zazdrość nie miała do niego wejścia. Kilka dobrych rad? Warto pracować nad prawdziwymi partnerskimi relacjami, unikać zależności i uzależniania się. Nie trzeba żądać dowodów wierności, bo niby jak miałyby one wyglądać. Nie bądźmy małostkowi, nie kłóćmy się o szczegóły.

Ale czy jest jakiś papierek lakmusowy, który nam powie: „Uwaga! Zazdrośnik/zazdrośnica"?

Spotykając nową miłość, warto być wyczulonym na jego/jej stopień tolerancji. Pamiętajmy, że druga osoba nie jest własnością, a miłość – chociaż na pewno każdy myśli o niej, że jest jedyna i wyjątkowa – nie ocali związku, jeżeli zabraknie w nim przestrzeni dla każdego z partnerów. Wspierajmy partnera, unikajmy karania go. Strach o to, że on/ona odejdzie, należy przemodelować na codzienne staranie się, żeby jemu/jej było z nami dobrze.

W jakich sytuacjach odrobina zazdrości dodaje pikanterii miłości?

Owszem, w relacjach damsko-męskich przejawy zazdrości są naturalnym zjawiskiem. I odrobina zazdrości dobrze wpływa na atrakcyjność związku. I to zarówno ze strony mężczyzny, jak i kobiety. Jeżeli kobieta czy mężczyzna słyszy: „Wcale nie jestem o ciebie zazdrosna/zazdrosny", niekoniecznie musi to być dla niego uspokajające. Wręcz przeciwnie, może obudzić niepokój: „Czyżbym nie był/była na tyle atrakcyjny/atrakcyjna, że nie warto się o mnie starać i zabiegać?". Brak jakiejkolwiek zazdrości u drugiej osoby rzeczywiście może niepokoić. Partner zbyt pewny siebie i uczuć drugiej osoby, jej niezłomności w dochowaniu wierności może najzwyczajniej w świecie przestać się starać. Dlatego pewna lecznicza dawka zazdrości jest jak najbardziej wskazana, ale powinna być ona epizodyczna. Jeżeli zdarza się od czasu do czasu, nie jest to powód do niepokoju. Nasila się w przypadku, kiedy między partnerami jest znaczna różnica atrakcyjności i wieku. Jeżeli niepozorny mężczyzna zwiąże się z atrakcyjną kobietą, a ułatwił mu to wysoki standard materialny – inaczej mówiąc, „kupił" sobie kobietę, może to w nim wyzwalać poczucie niepokoju. Bo a nuż znajdzie się ktoś atrakcyjniejszy, kto ma w dodatku więcej kasy? Podobnie jest ze związkami partnerów z dużą różnicą wieku. Lęk przed zdradą z młodszym, pełnym wigoru facetem jest wpisany w taką relację. Zazdrość zdarza się także w związkach, w których partnerzy są świadomi tego, że nie spełniają w pełni wszystkich potrzeb drugiej strony. Podobnie w nieformalnych związkach. Tam także poziom zazdrości jest większy niż w zalegalizowanych związkach – sam fakt braku prawnego zalegalizowania może prowokować lęk i niepewność przed możliwością odejścia partnera. Zazdrość u mężczyzn nasila się od czasów wynalezienia pigułki antykoncepcyjnej – kobieta bowiem nie ryzykuje zajścia w ciążę, dlatego może być skłonniejsza do zdrady. Partnerzy kobiet bywają zazdrośni o ich pasje, zainteresowania, świat wewnętrzny, o wszystko.

Jakie inne strategie stosują ludzie, żeby nie żyć z ciągłym strachem przed utratą miłości?

Niektórzy postanawiają, że potraktują to filozoficznie – mówią sobie: „Takie jest życie", i starają się nie tracić zdrowego rozsądku. Inni mówią: „Mam swoje zasady i nie przekroczę ich". Czyli nie wdają się w romanse, nie zdradzają, kochają szczerze. Uważają, że jeżeli są w związku szczęśliwi, to przecież po co ma się on rozpaść. Często słyszę w gabinecie: „No tak, zaiskrzyło z koleżanką/kolegą z pracy. To ogromna fascynacja, ale mam swój rozum. Nie będę się w to pakować, mam udany związek, wszystko jest dobrze, jesteśmy ze sobą związani, po co to rozwalać?". Udaje im się zareagować na odpowiednim etapie znajomości. Wobec tego lepiej na fascynacje reagować szybciej i nie pozwalać się im rozwijać.

Tym bardziej że kontrola partnera tak naprawdę jest złudna.

Kiedyś w przeszłości ludzie prowadzili bogate życie towarzyskie. Wówczas niebezpieczeństwem było, kiedy w towarzystwie pojawiał się jakiś znajomy/znajoma i zaiskrzyło. Tylko że działo się to na oczach wszystkich, sygnały były raczej czytelne: otoczenie widziało, że np. w tańcu nastąpiło zbyt bliskie przytulenie, jakiś skryty pocałunek, „nieprzyzwoite" przytrzymanie ręki. W Internecie już nie ma kontroli. Partner wchodzi do sieci i tylko on może powiedzieć, co się z nim dzieje.

Czyli nowe technologie, Internet, komórki stanowią zagrożenie dla związku?

To zależy, do czego są wykorzystywane. Skype, Internet służą związkowi, jeżeli umożliwiają kontakt osób, które dzielą kilometry. A z drugiej strony internetowa pornografia i romanse nawiązywane za pośrednictwem sieci są prawdziwym zagrożeniem dla współczesnej miłości. Coraz więcej mężczyzn prowadzi podwójne życie seksualne: solo z udziałem pornografii oraz seks z partnerką. Zbyt często to pierwsze oceniają jako bardziej atrakcyjne od drugiego. Seks pornograficzny jest głównie ukierunkowany na narządy płciowe partnerów, fizjologię stosunku, w maksymalnym zbliżeniu kamerą. Genitalność w żywej relacji z partnerką jest bardziej ograniczona, a często wręcz budzi u niej opór – kobiety niezbyt chętnie zgadzają się na to, żeby przyglądać się im z ciekawością naukowca.

Czy internetowa pornografia może zwyciężyć miłość?

Zdarzają się takie sytuacje. Uwarunkowanie na wielość bodźców w pornografii sprawia, że atrakcyjność seksu z tą samą partnerką mija po kilku miesiącach, a niekiedy po dwóch, trzech latach i ulega wygaszeniu. Wielu mężczyzn pomaga sobie, uruchamiając wyobraźnię w trakcie seksu z partnerką, ale to też ma granice. Nadmiernie częsty i wydłużony w czasie kontakt z pornografią może prowadzić do różnych zaburzeń seksualnych, np. pornofilii, gdy kontakt z pornografią staje się dominującą lub wyłączną formą zaspokajania potrzeby seksualnej, uzależnienia od seksu i zachowań obsesyjno-kompulsywnych.

Patrząc jednak na jasne strony nowych technologii, Internet przyczynia się do wzrostu liczby związków międzykulturowych. Jakie szanse mają one na przetrwanie?

Zalecałbym ostrożność w zawieraniu takich związków. Oczywiście to zależy od tego, jak w danym kręgu się odnajdziemy i czy są tam dla nas czynniki sprzyjające, czy nie. Dlatego czytając historię np. Białej Masajki, chciało się powiedzieć: „Kobieto, co z tobą jest? Wchodziłaś w świat innej kultury, gdzie panują inne obyczaje, inaczej traktuje się kobiety, preferowane są inne modele kobiecości i męskości, i miałaś pretensje do swojego męża? On żył po prostu w swoim świecie". Jeśli istnieje tak duża odmienność, należy naprawdę dobrze się zastanowić, czy warto się na to decydować. Mam sporo pacjentów z różnych regionów świata mieszkających w Polsce: pracownicy ambasad, partnerzy różnych narodowości. Ich leczenie wiąże się nie tylko z koniecznością dysponowania wiedzą na ich temat, ale również z uwzględnieniem tychże obyczajów. Na przykład stosowanie różnych metod treningowych w leczeniu zaburzeń seksualnych islamskich kobiet może wiązać się z koniecznością uzyskania zgody ze strony jej męża lub męskich członków rodziny. Kiedyś trafiła do mnie para: on pochodził z Afryki, ona była Polką. Byli w poważnym kryzysie, który był spowodowany prowadzeniem przez nią pamiętnika. Jej mąż uznał to za zdradę, bo zapisy intymnej treści były przez niego pojmowane jako swoista kradzież duszy. Pamiętam także parę, w której mąż pochodzący z Malezji przeżywał silne lęki. Były spowodowane faktem, że jego żona domagała się wytrysków nasienia przy okazji każdego stosunku seksualnego. Dla niego akceptowalny był wytrysk najwyżej raz na trzy tygodnie. Sporo jest także pacjentek Polek, które nie potrafią zaakceptować faktu, że ich mąż chce poślubić kolejne kobiety. Od niedawna pojawiła się nowa kategoria szukających pomocy z powodu zmiany wyznania partnera lub partnerki. Zmianie religii niejednokrotnie towarzyszy usiłowanie wprowadzenia w życie związku nowych zasad i norm budzących opór i sprzeciw u drugiej osoby. Są np. wyznania nieakceptujące antykoncepcji, narzucające małą częstotliwość kontaktów seksualnych. Nie zawsze odpowiada to drugiej osobie. Zdarza się, że po latach istnienia związku jedno z partnerów przechodzi taką metamorfozę wyznaniową i związek znajduje się w zupełnie nowej sytuacji. Pomocy szukają kobiety skarżące się na wprowadzenie ich przez mężów do rodzin, w których z racji tradycji kulturowych dominują i rządzą matki. Inne przychodzą z tego powodu, że nie mogą tolerować romansów męża traktowanych przez niego jako oczywiste i akceptowane przez jego środowisko narodowościowe.

Kiedy czyta się ostatnio wydane książki o małżeństwach mieszanych, włos jeży się na głowie.

Tak, zauważyłem modę na tego typu literaturę, na książki pisane przez kobiety z małżeństw mieszanych, które przeżywają dramaty z powodu kryzysu wywołanego zderzeniem różnych tradycji kulturowych. Typowy motyw tych książek to nieoczekiwana metamorfoza męża, który na początku jest oceniany jako „zachodni", a nagle zmienia się w kogoś innego po przyjeździe do kraju pochodzenia. I następują opisy jej cierpienia, walki o dzieci, rozczarowania, końca miłości. Z jednej strony można to zrozumieć. Ale irytuje mnie niefrasobliwość kobiet w podejmowaniu decyzji o związaniu się z człowiekiem z kompletnie innego kręgu kulturowego. Nieznajomość inności kultur i wiara w miłość od pierwszego spojrzenia są najczęstszymi przyczynami dramatu. Jako lekarz obserwuję po ukazaniu się kolejnej takiej książki napływ zaniepokojonych pacjentek ze związków mieszanych, które zadają wiele pytań, a często wręcz proszą o „prewencyjne" przebadanie narzeczonego, czy związek będzie udany, czy nie. Do tego zamieszania dochodzą także rodzice proszący mnie, żebym wytłumaczył córce, jak wiele ryzykuje, wychodząc za mąż za np. kolorowego narzeczonego. Zaślepione miłością kobiety nie chcą słyszeć o różnicy kultur, bo uważają, że nie mają one racji bytu w sytuacji, kiedy ludzie się kochają.

Bo miłość nie wystarczy w takim układzie?

Może nie wystarczyć. Może ją podgryzać codzienność, inna obyczajowość, rodzina może jej nie akceptować. Chociaż z drugiej strony mam masę przykładów naprawdę udanych związków mieszanych. Niejednokrotnie słyszę zwierzenia o wartości tradycyjnych rodzin w różnych kulturach, satysfakcji z bycia obdarzoną szczególną opieką i ciepłem ze strony dużej rodziny męża, z egzotycznej sztuki miłosnej. Ostatnio sporo się mówi o „habibi" z północnej Afryki, którzy rozkochują w sobie europejskie kobiety. Może się przytrafić miłość w egzotycznym kraju i już. Może być i tak, że sposób traktowania kobiety, niebywała adoracja mogły sprzyjać temu zakochaniu. Znam Polkę, która wyszła za Tunezyjczyka. Ten mężczyzna słał jej cały świat u stóp. Gdyby mógł, kupiłby jej latający dywan. To zrobiło na dziewczynie wrażenie. Nikt jej tak nie adorował do tej pory, nie przemawiał sonetami o miłości, a później się okazał dobrym mężem. Cały czas wobec niej czuły, szarmancki. Są szalenie udanym związkiem. Często ogromną siłą tego typu relacji jest fascynacja innością. Wyobraźmy sobie dziewczynę czy mężczyznę, którzy trafiają cały czas na taki sam styl zachowań drugiej osoby. Zawsze jest podobnie, a tu nagle... wszystko jest inaczej. Są regiony świata, gdzie związek z białą kobietą jest nobilitujący, więc może być tak, że ona nagle się znajdzie na elitarnej pozycji, będzie szczególnie szanowana przez niego i jego rodzinę. I oboje mogą być szczęśliwi.

Ale nawet wyjeżdżając na wakacje do Łeby, możemy spotkać miłość swojego życia. Pan stanowczo mówi: „Uważajcie na wakacyjne romanse".

Zawsze się zżymam, kiedy poradniki czy media bagatelizują urlopowy romans, zachęcając: „Pozwól sobie na chwilę zapomnienia. Poczujesz się lepiej, dowartościujesz swoją kobiecość, a za dwa miesiące ta miłosna przygoda będzie tylko wspomnieniem". Tymczasem scenariusze tych, zdawałoby się, płochych letnich miłości mogą być szalenie zaskakujące i dramatyczne. Jedna z moich pacjentek zjawiła się u mnie z ogromnym problemem podjęcia ważnej życiowej decyzji. Jako młoda dziewczyna miała marzenia na temat miłości, konkretny ideał mężczyzny. „Ale przecież takiego sobie nie znajdę" – powiedziała i wyszła za mąż nie z wielkiej miłości, ale za wartościowego partnera. Był dobrym mężem i ojcem. Na wakacjach spotkała mężczyznę, który jakby wyszedł z jej marzeń. Budowa ciała, temperament, inteligencja, zapach, chemia, osobowość – wszystko zagrało w 100 procentach. Seks doskonały, nie spodziewała się, że można mieć tyle przyjemności w łóżku. Czuła się jak pod wpływem narkotyków, przyszła poradzić się, co ma zrobić? Zostać z mężem czy od niego odejść? Dlatego nie warto być pewnym, że wakacyjny romans może być tylko przelotnym seksem i „miłą odmianą w małżeńskiej rutynie".

Na wakacjach można znaleźć miłość swojego życia, której początek może być w łóżku. Świetny seks może otworzyć zupełnie nową perspektywę na wrażenia, których do tej pory nie było. Banalna rzecz: kobieta ma normalne orgazmy przy stymulacji łechtaczki, nie dochodzi u niej do orgazmów pochwowych, ale jest w miarę zadowolona ze swojego życia seksualnego. Aż tu na wakacjach trafia się partner, który wyzwala w niej intensywne orgazmy pochwowe! To jest dla niej zupełnie nowe odkrycie, nowy świat doznań. Jest na najlepszej drodze do uzależnienia się od tego partnera. Często ludzie twierdzący ze zdziwieniem: „Jak można zwariować na punkcie seksu? Trzeba mieć odrobinę rozsądku!", trafiają na wakacjach na taki romans, który powoduje, że... szaleją. Otwierają się przed nimi niespotykane wrażenia, chemia seksu bywa absolutnie nieprzewidywalna...

Rada dla wszystkich wyjeżdżających na wakacje jest więc następująca...

Jeżeli jesteś w sytuacji pokusy romansu urlopowego, kiedy widzisz przystojnego mężczyznę lub przepiękną kobietę, pamiętaj o wszystkich możliwych konsekwencjach, z rewolucją w całym życiu włącznie. Nie mówiąc o niechcianej ciąży czy chorobach przenoszonych drogą płciową, bo uważam za oczywiste, że należy się przed nimi zabezpieczyć. Znam parę, których kilkuletni udany związek zakończył się dokładnie tego samego dnia, w którym ona wyznała, że miała romans. Są też przypadki, że ujawniony romans wakacyjny spowodował ogromny kryzys w relacji, płacz, cierpienie, ogromne emocje, ale zadziałał oczyszczająco i teraz uczucie jest na wyższym poziomie rozwoju. Bywa też tak, że jeden z partnerów nie jest w stanie współżyć z drugim, bo nie potrafi opanować obrzydzenia, po tym jak się dowiedział o kontaktach seksualnych drugiej strony. Ale znam także pary, które spędzają osobno urlopy właśnie po to, żeby romansować: jedno i drugie. Pod warunkiem że to będzie właśnie tylko romans czasowy, bez miłości i innych komplikacji.

Który związek jest bardziej trwały: sformalizowany, czyli małżeństwo, czy nieformalny, czyli konkubinat?

Tutaj mamy do czynienia z ciekawym paradoksem. Kiedyś, gdy rozwód był bardzo trudny do uzyskania, nie mówiąc już o tym, że pociągał za sobą obyczajowe następstwa, różnica była ogromna. Na korzyść małżeństw. Dzisiaj, kiedy rozwód, przy odrobinie dobrej woli i porozumienia, można uzyskać na pierwszej rozprawie sądowej, nie widać tej różnicy. Nie mówimy oczywiście o ślubach i rozwodach kościelnych. Na pewno jednak część osób nie zawiera małżeństwa, żeby w razie czego uniknąć wszystkich niedogodności rozwodu.

Asekuranctwo.

Tak. Ale można je zrozumieć. Jeżeli ludzie słyszą, jakie dramaty dzieją się podczas rozpraw sądowych, jak długo one trwają, że latami ludzie kłócą się o każdą łyżkę i talerz, a często także sami przeżyli rozwód rodziców, nic dziwnego, że nie są skłonni do formalizowania związku. Zachowują sobie margines bezpieczeństwa, który zakłada: „Każdego dnia mogę się spakować i wyjść", lub dziś wieczorem można powiedzieć: „Sorry, miło było, ale musimy się rozstać". Nie zakładając sukcesu związku, żyją więc na tzw. kocią łapę.

To jest wygodniejsze dla mężczyzny czy kobiety?

Zależy, w jakiej fazie życia jest kobieta. Jeśli zdobyła atrakcyjną pracę, przed nią awans zawodowy, a obok jest mężczyzna, który ciągnie ją do ołtarza, nie jest specjalnie zainteresowana, bo jest niezależna, ma perspektywy, ślub może przecież odłożyć na później, a dzieci jeszcze na później. On ją jednak naciska, ponieważ chce ją związać dodatkowymi zależnościami – w takim układzie jemu zależy bardziej. W innej sytuacji, kiedy jej rodzice ciosają kołki na głowie („Nie możesz przecież do końca życia być bez ślubu"), a on aż tak bardzo nie jest skory do oświadczyn, jej będzie bardziej zależało. Odnoszę jednak wrażenie, że ideowych przeciwników zawierania małżeństw nie ma tak dużo. Bardzo ważny jest również fakt, że współcześni ludzie o wiele więcej wymagają od małżeństwa niż np. ich rodzice. Czyli odpowiadając na pani pytanie, jaka jest miłość w czasach popkultury, można stwierdzić, że pokłada się w niej większe nadzieje. Kiedyś wystarczyło, że mężczyzna i kobieta zawierali ślub, pojawiały się dzieci, mieli mieszkanie, ale każde żyło w swoim odrębnym świecie. Ale te czasy to już przeszłość. Teraz, aby relacja partnerska była udana, potrzeba i atrakcyjnego seksu, i intymności, i ciekawego spędzania wspólnego czasu, współpracy przy wychowaniu dzieci. Dlatego przedłuża się czas próby, bo każdy chce mieć partnera/partnerkę, z którego/której będzie zadowolony. Taki czas próby może trwać w nieskończoność. Znam ludzi, którzy dopiero po 10, 15, a nawet 20 latach bycia razem zawierają małżeństwo. Może być także inny sekret kryjący się w niezawieraniu małżeństwa: to subtelna walka w związku. Polega ona na tym, że kiedyś jedno z nich naciskało na ślub, drugie nie ujawniało entuzjazmu do tego, później sytuacja się zmieniła, a ślubu jak nie było, tak nie ma. Wtedy brak ślubu jest manifestacją, wyrazem walki o dominację w związku. Konsekwencją życia bez ślubu może być na przykład utrata pociągu seksualnego przez kobietę. Jej zdaniem on traktuje ją, jakby nie była godna zostania jego żoną. Narasta niewypowiedziany konflikt. On nigdy nie poprosił jej o rękę, mają wspólny dom, żyją razem. Ona zaczyna oskarżać go o egoizm. Poza tym nie czuje się bezpieczna w tej sytuacji, bo on w każdej chwili może dać nogę. Związek może się rozpaść tylko z tego powodu, że on się nie zdeklarował. Kobieta czuje się poniżona, niedowartościowana. Co innego, jeżeli wspólnie zdecydowali się żyć bez ślubu, a co innego, jeżeli jasno nie sprecyzowali swojej przyszłości, a ona czeka. Tymczasem z jego strony ten brak deklaracji może być spowodowany np. bolesnymi przeżyciami w domu rodzinnym, w którym był świadkiem koszmarnego rozwodu swoich rodziców. Ale może być również najzwyczajniej w świecie nieodpowiedzialnym, niedojrzałym mężczyzną, który nie ma ochoty podejmować jakichkolwiek decyzji i zachowuje bezpieczny margines: „Zawsze mogę się wycofać".

Czy „papier" ma znaczenie, czy nie ma?

Uważam, że jeśli związek jest udany, jeżeli chcę z tą drugą osobą być przez całe życie, to zrozumiałe, że chcę mieć na to jakiś „papier". Ale nie jako gwarancję szczęścia wiecznego i „że cię nie opuszczę, aż do śmierci". Ten dokument jest jakby naturalnym krokiem w ewolucji związku. Jeżeli obie strony chcą być razem całe życie, to wiążą się z tym odpowiednie skutki prawne: dziedziczenie, wspólnota majątkowa. Nawet leżeć we wspólnym grobie też by było miło. Inna sprawa, jeżeli mają ideowe podejście do nieposiadania „papieru" i oboje się z tym zgadzają. Np. racjonalniej jest nie być małżeństwem ze względów podatkowych lub innych. Wtedy to rozumiem. Natomiast jeśli w ogóle się o tym nie mówi, obowiązuje cisza na ten temat, to coś jest na rzeczy. Albo że ten temat jest bolesny dla jednej ze stron bądź obu, albo że partnerzy boją się go podjąć, żeby osłonić swoje status quo.

Czy spotkał pan kobietę, która się oświadczyła w takim związku mężczyźnie?

Nieraz tak bywa, że ona w końcu nie wytrzymuje i pierwsza się oświadcza.

Co on wtedy robi?

Jeżeli przyjmuje oświadczyny i wszystko idzie w dobrą stronę, to nie ma znaczenia, kto się oświadczył. Natomiast mam bardzo wiele pacjentek, które przychodzą do mnie, bo on w ogóle nie zareagował na ich oświadczyny...

!?

Tak, bywają takie sytuacje. Co mogę wtedy jej powiedzieć? Próbuję analizować, bo właśnie narodził się konflikt: ona czuje się upokorzona, że wyszła z inicjatywą, a on jej nie podjął. Ale nie odchodzi jeszcze od niego, bo chce zrozumieć jego motywy. Prosi, żebym z nim porozmawiał. Często z mojej z nim rozmowy wynikają proste rzeczy: on nie chce małżeństwa, bo czuje się wolnym ptakiem. Albo nie jest jeszcze przekonany, że ta partnerka jest na całe życie. Uważa, że to tymczasowe.

Szkoda tylko, że ona o tym nie wie.

To częsta postawa we współczesnych związkach: „Czekam na kogoś lepszego". „To tymczasowy partner" – tak określają go osoby, które mają „stałego" partnera, ale jedynie na pewien czas. Jedna ze stron z reguły ukrywa fakt, że traktuje swojego partnera „nie na całe życie". Dlaczego nie może powiedzieć prawdy? Najczęściej dlatego, że ma ogromny lęk przed samotnością, poza tym potrzebuje stabilnego życia erotycznego. Może także w ten sposób pocieszać się po poprzednim związku lub demonstrować innym: „Nie jestem samotny/samotna". Bywają bardziej prozaiczne przyczyny, np. mężczyzna wiąże się z zakochaną w nim kobietą, która poza seksem zajmuje się jego gospodarstwem domowym, gotuje, sprząta. W wielu innych przypadkach ceni się osobę partnera za wiele zalet, ale towarzyszy temu przekonanie, że „to nie jest materiał na męża, żonę". Ceni się seks, wspólne spędzanie wolnego czasu, wspólne mieszkanie, rozmowy, ale to wszystko tylko na pewien czas. Bywa, że podobne postawy wobec związku mają obie strony. Mogą być one deklarowane lub, niestety, ukrywane.

Ile może trwać taka miłość niemiłość?

Związek z tymczasowym partnerem może trwać przez wiele miesięcy, a nawet lat. Ukrywaniu prawdziwych motywów bycia w związku towarzyszą pewne charakterystyczne cechy: zdecydowana deklaracja braku dziecka i dbanie, aby nie doszło do zajścia w ciążę, otwartość na poznawanie innych osób, unikanie obietnic co do możliwości zawarcia małżeństwa. Zakochani partnerzy oczekują jednak takich deklaracji, i co wtedy? Daje im się wymijające i mętne odpowiedzi, bliżej nieokreślone obietnice odkładane na później. Przyciskaniu do muru towarzyszy wyznawanie miłości w celu utrzymania związku. Dla drugiej osoby ma to duże znaczenie i często nadinterpretuje to, co słyszy. A im dłużej trwa związek, tym więcej lawirowania i manipulacji. Znam osoby, które są w tym zakresie prawdziwymi artystami.

Jakie są losy takich związków?

Zdarza się bardzo różnie. Często może być tak, że upływają miesiące, lata i nic się nie zmienia, bowiem nie pojawił się na horyzoncie „idealny materiał na męża lub żonę". Związek zaczyna przypominać stabilne małżeństwo, ale bez oparcia na wzajemnej miłości. Po upływie wielu lat trzeba się jednak na coś zdecydować i wtedy podejmuje się decyzję albo o rozstaniu, albo o ślubie. W końcu „z braku laku" zawiera się małżeństwo. Zdarza się również, że nawet w ten sposób zawarte małżeństwo traktuje się jako tymczasowe. Jeżeli pozna się później kogoś innego, to zaczyna się postępowanie rozwodowe i unieważnianie ślubu kościelnego. Zdarza się też wariant z zajściem w ciążę. Najczęściej jest ona nieplanowana i często kobieta z premedytacją decyduje się na nią, żeby związać ze sobą niezdecydowanego partnera. On oczywiście jest rozżalony i ma pretensje o to, że ona wrobiła go w dziecko. Często nawet ciąża nie jest wystarczającą przeszkodą, żeby zerwać z tymczasową partnerką po poznaniu i zakochaniu się w innej osobie. Następuje to dosyć szybko, przy czym mężczyźni ujawniają wtedy hamletowskie rozterki, mają poczucie winy, przeżywają płacz porzucanej partnerki. Ale bywa także zupełnie odwrotnie: czasami to „tymczasowa" partnerka podejmuje decyzję i wyrzuca partnera za drzwi. Kobiety, które się na to decydują, źle znoszą tymczasowość związku, powtarzanie mętnych deklaracji, niepokój o czas zajścia w ciążę. Nie mogą zrozumieć, dlaczego partner nie decyduje się na zawarcie małżeństwa i założenie rodziny, skoro mieszkają razem i nie ma żadnych przeszkód. Zaczynają czuć się upokorzone, rozżalone, a w końcu rozsierdzone. Po kłótni następuje rozstanie.

Czy jest też jakiś happy end?

Zdarza się, że po dłuższym byciu razem pojawia się nie tylko uzależniające przywiązanie, ale rozwija się żarliwa miłość wobec „tymczasowego" partnera. O ile nie jest już za późno i partner lub partnerka mają ochotę na kontynuowanie związku, może to być bardzo udana relacja.

Jak często mówić partnerowi „kocham cię"? Nie ma pan wrażenia, że ten zwrot nieco się zdewaluował?

Zależy kto i jak mówi. Należy powtarzać to tak często, aby wciąż było atrakcyjne. Jeśli będziemy to powtarzać zbyt często, jak mantrę, to gwarantuję, że przejdzie niezauważone. Poza tym, jeśli ma się partnera, który do wszystkich mówi „kochany", „kochana" – do znajomych, przyjaciół, do ekspedientki w sklepie, to dla jego partnerki jest to słowo absolutnie bez wartości. Natomiast jeśli partner jest bardziej powściągliwy i mówi „kocham cię" tylko co jakiś czas, to jest to bezcenne. Czyli: bardzo ważne do kogo i z jaką częstotliwością. W jakich okolicznościach, także.

Na przykład kiedy podaje mu jajecznicę ze szczypiorkiem na talerzu?

Jeśli to powie w tej sytuacji, będzie to dla niego jasny przekaz: „Widzisz, dbam o ciebie, zrobiłam ci jajecznicę, to jest dowód, że cię kocham". Ale jeśli on potrafi sobie sam zrobić jajecznicę, to nie uważa, że to jest wielkie poświęcenie. Słowo „kocham" może być przekonujące, jeżeli taka deklaracja jest wyznaniem. Np. siedzą, oglądają telewizję lub leżą obok siebie i partner czy partnerka mówi: „Bardzo cię kocham". I nic więcej. Jest to wyznanie niespowodowane sytuacją. Wtedy brzmi przekonująco: nieoczekiwane i bez szczególnego uzasadnienia.

Czyli żadnego krzyczenia „kocham cię!" w łóżku podczas seksu?

Nie, bo to banał.

Rozdział V.

Miłość, rozum, płeć

Rozdział V.

Jak kochają kobiety, a jak mężczyźni / czy miłość może być usprawiedliwieniem w każdej sytuacji / poligamia – czy to tylko męska specjalność? / fantazje erotyczne kobiet i mężczyzn / wstyd niebezpieczeństwem dla dobrego związku / zmiana erotycznego języka

On jest z Marsa, a ona z Wenus. Miłość odbiera rozum mężczyznom, a kobietom dodaje rozsądku. A może w rzeczywistości nie różnimy się aż tak bardzo w sposobie kochania?

Moim zdaniem mężczyźni i kobiety kochają tak samo. Miłość odbiera rozum jednej i drugiej płci. Znam wiele przypadków kobiet, które porzuciły dziecko, męża i poszły w siną dal za ukochanym. I dopiero po trzech latach próbowały powrócić. Miłość może być zaślepieniem i nie zależy to od płci. Z drugiej strony to dosyć wygodna teoria: miłość odebrała mi rozum i wszystkie głupstwa, które popełniłem, tłumaczę właśnie owym miłosnym zaślepieniem. Na przykład on lub ona porzuca rodzinę, bo... no trudno, zakochał/zakochała się, rozum poszedł w odstawkę, jestem usprawiedliwiony/usprawiedliwiona.

No właśnie, możemy nasze niecne poczynania usprawiedliwiać miłością? Mówiąc: „Cóż na to poradzę, zakochałem/zakochałam się...".

To zrozumiałe, że obie płcie mają tendencje do usprawiedliwiania się, chcą się uwolnić od poczucia winy, odpowiedzialności. Nikt nie ma ochoty, żeby go żarł robak wyrzutów sumienia i dlatego nasza psychika ma tendencję do bronienia się. To jest klasyczna racjonalizacja po to, żeby uwolnić się od poczucia winy. Dlatego stereotyp o miłości jak rwącej rzece, która wszystko porywa za sobą, jest taki pomocny. Tylko warto zaznaczyć też, że zanim miłość zamieni się w wodospad, jest jeszcze punkt startu, w którym jest spokojnym strumykiem, i nie ma zagrożenia, że nas porwie. Jeżeli mężczyzna czy kobieta wiedzą o sobie, że są kochliwi i nie potrzeba im wiele, żeby się zaangażować, niech po prostu wezmą na wstrzymanie i przeczekają pierwszy moment fascynacji.

W jednej ze swoich książek napisał pan, że autorami większości opracowań naukowych na temat miłości są mężczyźni. Czy dlatego, że oni są lepsi w teoretyzowaniu, a kobiety w praktyce? Jaka jest przyczyna tego, że mężczyźni lubią pisać o miłości? A kobiety nie bardzo.

Przybywa, przybywa tych kobiet, które zajmują się miłością od strony naukowej, ale także lubią sobie poświntuszyć w literaturze. Mam wrażenie, że kobieca niechęć do pisania o miłości może wynikać z tego, że nie mają potrzeby eksplikacji swoich uczuć.

Nie wierzę. A mężczyzna ma taką potrzebę?

Chyba większą niż kobieta. Mężczyźni wstydzą się rozmawiać o miłości, ale ta potrzeba w nich tkwi, więc kto ma zdolności i możliwości, przelewa na papier.

Od lat obserwuję literaturę erotyczną. Teraz kobiety stały się bardziej dosłowne, potrafią wnikliwie opisywać wszystkie szczegóły anatomiczne. Mówię o nowej polskiej literaturze erotycznej. Takiego opisu nie powstydziłby się mężczyzna. W czasach, kiedy Henry Miller pisał swojego „Sexusa", mówiono, że tylko mężczyźni potrafią właśnie tak pisać, a kobieta nie jest w stanie osiągnąć takiego poziomu. Po 60 latach okazało się, że jednak może. W przeszłości, i to nie tak odległej, kobiety nie mogły się przebić z literaturą tak bardzo bezpośrednią, bo „co by ludzie pomyśleli"? Że jest erotomanką, nimfomanką, niewyżytą. Mężczyzna świntuszył przez sto stron i to była wielka literatura. Kobietę natychmiast oskarżano o grafomanię. To mógł być jeden z powodów, dla których kobiety, nawet jeżeli chciały napisać o swojej seksualności, orgazmie, przeżyciach bliskości, raczej nie rwały się do intelektualnego eksplorowania, żeby nie oskarżono ich o jakiś seksualny deficyt. Co więcej, nawet utwory obecnie powstające nie cieszą się jakimś wielkim uznaniem, jakby wciąż odium „niewyżycia" na nich spoczywa. Co więcej, niech pani spróbuje dać do poczytania tego rodzaju książkę facetowi. Osobiście znam kilku takich, którzy nie zdążyli dojść do połowy książki, zamknęli ją i powiedzieli kilka niezbyt cenzuralnych słów pod adresem autorki. Że, oględnie mówiąc, jest niedopieszczoną babą. Czyli nawet współczesny mężczyzna nie zgadza się na to, żeby kobieta eksplorowała i opisywała swoją seksualność, przeżywanie miłości, orgazmów.

Z czego to wynika, z maczyzmu?
A może dlatego, że weszły w męskie sfery, przekroczyły tabu, a nie powinny tego robić?

Tak, mężczyzna może świntuszyć, a kobieta powinna być uczuciowa, subtelna, wrażliwa. Czyli jej erotyka powinna być subtelna, przeżywana...

Pełna niedomówień.

Tak, bo to jest synonim kobiecości, wobec tego tylko taka literatura powinna powstawać w kobiecych głowach. A nie taka, która wali kawę na ławę. Jak czytam takie utwory, zastanawia mnie jedna rzecz: na ile to, co piszą, jest autentyczne, a na ile pisane pod publiczkę i po to, żeby szokować. Znam pisarza mężczyznę, który niesłychanie świntuszył na kartach swoich książek. Wiedziałem o jego sytuacji i problemach i ewidentnie można było o nim powiedzieć, że bardziej chciał, niż mógł. Był zniszczony przez alkohol, więc w seksie nie dawał sobie rady. Wobec tego przelewał na papier swoje fantazje, niezaspokojone potrzeby. To wiedziałem na pewno. Natomiast nie znam życia osobistego młodych pisarek, żeby ocenić, na ile to, co piszą, jest autentyczne. Czy naprawdę w taki odważny sposób postrzegają seks, bo są wyzwolone z zahamowań? A może piszą w ten sposób według obowiązującej mody na otwartość, która nie ma nic wspólnego z ich prawdziwymi emocjami i przeżyciami? Recenzowałem już nieraz różne dzieła erotyczne, w których przeważał motyw seksualnego niespełnienia, niezrealizowanych potrzeb seksualnych. Kobieca literatura erotyczna jest o wiele bardziej odważna w opisywaniu fizjologii, tych sławetnych „soków z ciała". Mężczyźni najchętniej używają terminologii militarnej typu: „wtargnął", „wbił", „wgniótł", „przypuścił atak", „nadział", „wycofał", „posiadł"...

Czy poleca pan swoim pacjentom do poczytania literaturę erotyczną?

O tak, wielu parom zalecam „Monologi waginy" Eve Ensler, które są zbiorem bezpruderyjnych, szczerych opowieści o seksualnych sukcesach i dramatach kobiet. Siłą tej książki jest fakt, że autorka rozmawiała z kobietami starymi i młodymi, samotnymi i zamężnymi, przedstawicielkami różnych ras, zawodów i orientacji seksualnych. Polecam ją kobietom, które mają kłopoty z własną seksualnością, z rozmowami na temat seksu. Z czystym sercem mogę także polecić ją panom. Niech wiedzą, że kobiety też potrafią mieć fizjologiczną perspektywę i nie postrzegają rzeczywistości wyłącznie z perspektywy lirycznej i subtelnej. W ogóle zalecam obu stronom patrzenie na seksualność z perspektywy pochwy i penisa. Po prostu. To naprawdę piękna rzecz.

Skoro już jesteśmy przy twórcach i artystach, to czy ich sposób kochania jest zupełnie inny niż nasz, zwykłych śmiertelników?

Miałem i mam niebywałą możliwość wejścia w ten dosyć hermetyczny świat. Zdarza się, że jestem powiernikiem tajemnic życia seksualnego i uczuciowego znanych piosenkarek, aktorek oraz malarek. Mam wrażenie, że ich rozterki są podobne do naszych. Jedna z aktorek, znana z ról zmysłowych uwodzicielek, w życiu osobistym bardzo przeżywała fakt, że partnerzy cenią tylko jej ciało, nie dostrzegając inteligencji i romantycznej natury. I rzeczywiście tak było. Mężczyźni koncentrowali się na mnożeniu technik seksualnych, a jej umysł nie był potrzebny żadnemu z nich. Przez wiele lat nie potrafiła stworzyć udanego związku. Bo kobiety celebrytki mają takie same problemy jak panie Kowalskie: brak orgazmu, kłopoty z libido, konflikty z partnerem, romanse, trudności w wychowaniu dzieci.

Jak pan wytłumaczy częstszą niż u „normalsów" skłonność do seryjnej poligamii?

Z reguły gwiazdy potrzebują coraz to nowych fascynacji jako bodźca do twórczości i sukcesów. Dlatego w życiu wielu ludzi z estrady pojawia się identyczny scenariusz: każdy kolejny partner jest postrzegany jako fascynujący, wyjątkowy, z bogatym wnętrzem. Taniec godowy i pierwsza faza związku pełne są namiętności – prawie nie wychodzą z sypialni. Po pewnym czasie idol okazuje się zwykłym mężczyzną („Zrozumiałam, że on jest najzwyklejszym samcem!") i pojawia się u niej totalne rozczarowanie. Zanika pożądanie, on jest rozczarowany i rozpoczynają się konflikty z tego powodu. Prawidłowością jest, że w fazie fascynacji twórczość eksploduje, a w fazie rozczarowania pojawia się poczucie niemocy albo nawet depresja. Zdarza się również, że kobiety z pierwszych stron gazet mają podwójną osobowość: jedna jest znana mediom, wielbicielom i... kochankom – to pewna siebie kobieta sukcesu, ekspresyjna, atrakcyjna, otwarta. Jej drugie „ja" to zagubiona, samotna kobieta, pełna lęku o przyszłość. Pyta siebie, jak żyć i czy jest spełniona jako kobieta. Nadużywa alkoholu. Podobnie jest z seksem: z jednej strony jest pełna ekspresji, skłonna do nowych doznań, eksperymentów, szybko osiągająca orgazmy. A następnego dnia unika zbliżeń. I potrafi tak miesiącami. Jej partnerzy, oczarowani ekspresyjną stroną jej osobowości, nie potrafią sobie poradzić z jej mrocznym drugim „ja". Stąd także się bierze kruchość związków między ludźmi z show-biznesu. Bywa, że gwiazdy płci żeńskiej potrzebują jak powietrza sporej dawki adoracji. Wobec tego partner pełni u nich rolę małżonka królowej. Nawet jeżeli jest początkowo zafascynowany światowym życiem, pojawia się u niego od czasu do czasu potrzeba normalnego codziennego życia. Na to gwiazda nie pozwala. Pojawia się agresja, związek się kończy.

Czym się charakteryzują celebryci płci męskiej? Czy przypominają neurotycznego Woody'ego Allena?

Trafiła pani w sedno. Są na pewno o wiele bardziej komunikatywni i otwarci, jeżeli chodzi o sprawy seksu, i potrafią długo monologować na temat jakości orgazmu, częstotliwości stosunków. Różnią się od codziennych pacjentów tym, że np.

wielu mężczyzn w trakcie rozmowy ze mną ukrywa swoje romanse i wizyty w agencjach, gwiazdorzy mówią zaś o tym otwarcie. Szczególnie ten typ pacjentów, których nazywam refleksyjnymi erudytami. Oni zwykle już weszli w wiek średni, zbliżają się do jesieni życia, a więc wiele widzieli, przeczytali, przeżyli. Rola kochanka nie jest przez nich traktowana jako ta, która decyduje o całym ich życiu. Raczej rozpatrują ją w szerszym kontekście innych życiowych doświadczeń. Można powiedzieć: ci panowie mają fajnie, bo już nic nie muszą udowadniać. Jeżeli pojawiają się u nich problemy w życiu seksualnym, to nikt im nie mówi: „To przez ciebie, zrób coś z tym". Często ich partnerki szukają winy w sobie, starają się przejąć aktywność w łóżku, bo to atrakcyjność psychiczna partnera jest dla nich afrodyzjakiem. Jeden ze znanych aktorów, cieszący się opinią kobieciarza bardzo doświadczonego seksualnie, zaczął mieć problemy z erekcją z powodu nadciśnienia, nadużywania alkoholu i palenia sporej liczby papierosów. Zarówno żona, jak i kochanki nie robiły z tego powodu problemów, starały się pomóc i chętnie się z nim kochały, mimo niepowodzeń w łóżku. Zdecydował się w końcu na leczenie, bowiem zależało mu na sprawności seksualnej i czerpaniu z niej przyjemności. Innym typem, zupełnie różniącym się od erudyty, jest macho – ten uwielbia kreować się w mediach na mężczyznę wiecznie otoczonego wianuszkiem kobiet. Jest narcyzem, uwielbia być zdobywany, pasjami lubi zwierzać się ze swoich seksualnych wyczynów. Nie ma szans, żeby wytrwał w monogamii, zbyt wiele pokus czyha dokoła. Trafia do mnie ze względów ambicjonalnych: pojawiają się u niego problemy z przedwczesnym wytryskiem lub zaburzeniami erekcji. Najgorsze dla niego byłoby, gdyby ktoś ze środowiska się o tym dowiedział, wtedy straci sławę kobieciarza. Dolegliwości skrzętnie ukrywa przed swoimi partnerkami. Jeden z moich pacjentów zjawił się u mnie przed wyjazdem na Wybrzeże, gdzie czekała go impreza z udziałem wielu atrakcyjnych kobiet. Nalegał, abym natychmiast go wyleczył z problemów z libido. Inny przyszedł zaskoczony następującą historią: kobieta odmówiła seksu z nim! I to w dodatku kobieta znana w środowisku jako pozbawiona pruderii łamaczka wielu serc i niepoprawna romansowiczka. Na zorganizowanym przez niego zagranicznym wyjeździe wolała pójść do muzeum i na wystawę współczesnej rzeźby, zamiast utonąć w jego ramionach. Był absolutnie niepocieszony, wręcz załamany. „Jak mam ją zdobyć?" – pytał.

Jak pan ocenia legendarne artystyczne męskie rozpasanie?

Owszem, zdarzają się upodobania seksualne, które dla zwykłych śmiertelników mogą wydawać się nieco szokujące, np. wkładanie na siebie w sypialni strojów scenicznych, pokazywanie kochance filmów porno z własnym udziałem, malowanie całego jej ciała farbami przed kochaniem się, seks przy odsłoniętym oknie z tzw. dostępem dla widzów, przyglądanie się, kiedy kochanka ma seks z kolegą (lub koleżanką), smarowanie członka czekoladą przed seksem oralnym, odtwarzanie w sypialni wizyty w agencji towarzyskiej. Niestety, nawet największe rozpasanie ma swój koniec i wówczas trafiają do mnie podstarzali kobieciarze nękani nadciśnieniem, cukrzycą, chorobami układu krążenia. Nie mają problemów z poznaniem i zdobyciem partnerki, jest za to problem z seksualną konsumpcją. Co wtedy robią? Ponieważ ambicjonalnie traktują swoje łóżkowe trudności, starają się uciekać w schematyczne postawy obronne, np. wpadają w alkoholizm, wprowadzają więcej wątków seksualnych do swojej twórczości, nierzadko z podtekstem antyfeministycznym, tworzą aurę seksualnych macho, zwierzają się zawiedzionej kochance ze swojej bujnej przeszłości. Ta jednak tylko doraźna strategia problemu nie rozwiązuje. Wizytę u seksuologa traktują jako przyznanie się do porażki w roli kochanka i ujawnienie słabości. Dlatego zanim dojdą do istoty swojego problemu, najpierw kluczą, rozprawiając o historiach kolejnych związków, o wypaleniu twórczym, zmęczeniu i stosunkach męsko-damskich. Dopiero potem mówią, o co naprawdę im chodzi.

Bo to w ogóle jest problem, rozmowa o seksie.

Ale zmienia się na lepsze. Dzięki Internetowi widzę większe oswajanie z terminologią erotyczną. Jeszcze wprawdzie nie doszliśmy do tego, żeby terminologia seksualna była równa terminologii pokarmowej czy oddechowej. Ale jesteśmy na dobrej drodze.

Sądzi pan, że zostaną wynalezione nowe słowa?

Język ewoluuje. Niech pani zwróci uwagę: od czasu zmiany systemu w Polsce ile słów zapożyczyliśmy z angielskiego. Poza tym następuje także inny mechanizm. Nie jestem lingwistą, ale nazwałbym go złagodzeniem wulgaryzmów. Słowo „zajebiste" na przykład dla moich rodziców to byłby skrajny wulgaryzm i chamstwo. No, a teraz niech pani...

Zajebista laska.

Widzi pani, nie robi to wrażenia ani na pani, ani na mnie. Co więcej, dziewczyna nazwana tym mianem będzie wprost zachwycona.

Rozumiem, że o ile kiedyś przychodziły do pana pary, które miały problem w nazwaniu kobiecych i męskich narządów płciowych, o tyle teraz się już to nie zdarza.

Nie, teraz już nie. Problemem nie jest to, że nie umieją porozumieć się z lekarzem, skoro przyszli do seksuologa, bo raczej nie mają kłopotów z terminologią specjalistyczną. Cały problem polega na tym, że nie potrafią się nią posługiwać w związku ze swoim partnerem. Idealnie byłoby, gdyby ludzie rozmawiali otwarcie ze sobą na te tematy od początku trwania związku. Bo jeżeli się to nie wydarzy przez pierwsze lata bycia ze sobą, trudno będzie im później przekroczyć granice niemówienia o tym. Niektóre związki, w których obie strony są zadowolone z seksu, wcale nie mają potrzeby, żeby o tym mówić. I zgadzam się, że wtedy takie rozmowy są zbędne.

Czy wspólne oglądanie filmów pornograficznych może pomóc w mówieniu o miłości między partnerami?

Na pewno, jeżeli są odpowiednio dobrane i oglądane z przyjemnością. Taka sytuacja zmusi ich do zwrócenia uwagi na to, jak ważny może być dialog. Przy czym mówię tu o pornografii skierowanej i do mężczyzn, i do kobiet. Do niedawna dominował pogląd, że pornografia podnieca wyłącznie mężczyzn z powodu ich większej wrażliwości na bodźce wzrokowe. Niewiele uwagi poświęcano wpływowi pornografii na kobiety. Uważano, że większość kobiet unika pornografii, bo są słuchowcami i obrazy nie mają dla nich większego znaczenia. Podniecająco za to działają sceny erotyczne, w których są pokazane zaloty, uwodzenie, pieszczoty i relacje między partnerami. Jednak okazało się, że seksualność kobieca jest bardziej złożona, niż się wydaje. Zdaniem części kobiet oglądanie razem z partnerem pornografii działa na nie podniecająco, inne chętnie ją oglądają w trakcie masturbowania się. Większość jednak zgodnie stwierdza, że woli oglądać fabułę, w której pornografia jest jej częścią. Tylko niewielu z nich podoba się wariant pornografii klasycznej, w których kamera najczęściej koncentruje się na genitaliach, różnych formach stosunków (oralne, analne, pochwowe), zachowaniach solo, w parach, w grupach. Stosunkowo lepiej jest przyswajana tzw. pornografia własna polegająca na tym, że pary filmują własny seks albo oglądają sceny przysłane przez znajomych.

W każdym z nas tkwi jakaś część voyeurysty?

Można powiedzieć, że pojawiła się moda na ten typ pornografii. Podnieca prawie na równi kobiety i mężczyzn. Podglądanie siebie lub znajomych jest afrodyzjakiem, dostarcza nowych bodźców, rozbudza wyobraźnię. Jej działanie pobudzające wiąże się z własnymi wspomnieniami. Ale niewiele osób przyznaje się do oglądania tego typu pornografii z powodu wstydu, zażenowania, niepewności, jak to zostanie ocenione. Z tym zjawiskiem wiążą się również dosyć dramatyczne historie: miałem pacjentkę, która odkryła, że jej mąż nakręcił film podczas intymnego kontaktu. Ale to nie było najbardziej poruszające: okazało się, że ma całą kolekcję takich obrazków z poprzednimi partnerkami. Żeby było jeszcze ciekawiej, wysyłał te filmy swojemu przyjacielowi. Oczywiście bez wiedzy partnerki. Co innego, kiedy niektóre zaprzyjaźnione pary wymieniają się tego typu filmami. Dla nich te filmy mogą być nie tyle pornografią, ile rejestracją czasu, np. kiedy byli młodzi i piękni. Badacze uważają, że tak jak coraz więcej wśród nas narcyzów, tak zwiększać się będzie liczba osób filmujących siebie – to po prostu wyraz obyczajowości erotycznej przybierającej formę ekshibicjonizmu, podglądactwa i narcyzmu.

Jest jeszcze pornografia tworzona przez kobiety dla kobiet...

U nas jeszcze stosunkowo mało znana i dyskutowana, ale na Zachodzie rozwijająca się dynamicznie od lat 80. Opiera się ona na następujących założeniach: pornografia ma pobudzać seksualnie, a nie wywoływać zażenowanie, to osobowość kobiety ma kreować pożądanie, które jest związane z jej życiem, a nie zjawia się nie wiadomo skąd. Napięcie seksualne ma wynikać z relacji partnerskiej, a nie z samego aktu seksualnego, mężczyzna jest w roli partnera, seks jest częścią narracji, a nie celem samym w sobie. Ważna jest bliskość i namiętność, ciało jest wartością pozytywną, zakazane są sceny przymusu, sceny seksualne powinny kreować nastrój intymnej zmysłowości. Osoby występujące w filmach powinny reprezentować zwykłych ludzi, a nie pornoaktorki i pornoaktorów eksponujących swoje walory. Kobiety mające kontakt z tego typu pornografią oceniają ją wysoko, jako bardzo zmysłową, przyjemną, podniecającą, rozwijającą potencjał erotyczny. Odnajdują się w niej, identyfikują z bohaterkami filmów.

Działa także na mężczyzn?

Nie mogę wyrokować, ponieważ spotkałem niewiele par, które miały doświadczenia z taką pornografią. Ale może się okazać, że jest uniwersalna: zadowoli i mężczyzn, i kobiety. Ten typ pornografii kreuje w nich inną wrażliwość, pobudza do refleksji, umożliwia poznanie inności seksualnej kobiety. Mężczyźni określali ją jako „inspirującą, inną, wciągającą". O ile klasyczna pornografia przeznaczona dla mężczyzn ma swoje granice (ile można stworzyć wariantów pozycji, technik seksualnych?), to pornografia dla kobiet wydaje się tych granic nie mieć. Wielu badaczy seksualności kobiecej podkreśla, że nie jest ona powtarzalna, dominuje w niej zmienność, „pożądanie pożądania", stała odnawialność. Zaciera się granica między rzeczywistością a wrażliwością kobiecą przypominającą sen. Nawet wielokrotnie oglądany ten sam film może prowokować odmienne nastroje, fantazje i pobudzenia.

No dobrze, ale czy mężczyźni sprostają temu wyzwaniu?

Przypuszczam, że upowszechnianie się tego typu pornografii może prowadzić do podniesienia poprzeczki wymagań wobec seksualnych partnerów. Czy sprostają temu wyzwaniu? Zobaczymy. Będzie to od nich wymagać przejścia od seksualności wizualnej, „ginekologicznej", skupionej na sobie do seksualności obejmującej wiele bodźców, do tej kreatywnej, która jest odpowiedzią na inne niż męskie pożądanie kobiece. Jeżeli upowszechni się ten typ seksu relacyjnego, pełnego nastroju erotycznego i rozwijającego się pożądania partnerki, możemy oczekiwać, że powstanie nowa sztuka miłosna, a jakość życia seksualnego wielu par przybierze nowy wymiar. Ale oznacza to też nowe wyzwania i oczekiwania wobec mężczyzn. I jak oni sobie, biedaki, z tym poradzą?

Rozdział VI.
Kiedy miłość się kończy

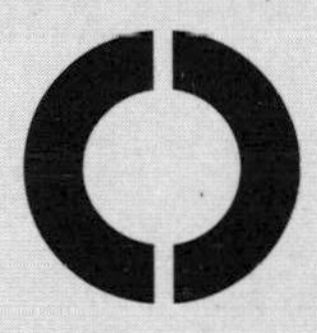

Rozdział VI.

Sygnały końca miłości / niedojrzałość uczuć / powody wypalenia w związku / syndrom Penelopy / nie rezygnować z seksu! / nuda jako największy wróg miłości / kiedy to tylko kryzys, a kiedy faktyczny koniec / kiedy odejść, a kiedy przeczekać zły okres

Kiedy można powiedzieć, że miłość się skończyła?

Jest kilka sygnałów, które o tym świadczą. Jeżeli na przykład pytam kobietę albo mężczyznę: „Co by się stało, gdyby twój partner/partnerka był/była z kimś innym", i nie budzi to w nich żadnej emocji, to jest to jeden z wyraźniejszych sygnałów: „It is over". To jest nawet bardziej dojmujące niż obojętność. Kiedy proszę np. mężczyznę: „Niech pan sobie wyobrazi swoją żonę w ramionach innego mężczyzny", a on bez problemu to sobie wyobraża, to jest to absolutnie sygnał, że miłość się skończyła albo właśnie kończy.

Czy miłość się kończy wraz z brakiem szacunku dla drugiej strony?

Nie zawsze. Mogą pozostać takie uczucia, jak szacunek, sympatia, lubienie, ale nie ma już wyższej skali więzi uczuciowej. Obu stronom nie zależy na intymności, potrzebie przytulenia, pieszczot. Mogą leżeć obok siebie w łóżku, oglądać telewizję, ale nie mają potrzeby, by się przytulić, pogłaskać. Później jest ciąg dalszy, bo pojawia się dystans psychiczny, rozmyślania o tym: „Jak ja mogłem/mogłam go/ją kochać!". Jeżeli ktoś tak myśli, to znaczy, że miłość minęła. Dla wielu ludzi jest to nawet bardzo przykre i prawie egzystencjalne stwierdzenie. Czasem w takich momentach po raz pierwszy człowiek zaczyna się zastanawiać nad sensem życia i przemijaniem. Staje w prawdzie: „Tak bardzo bliska mi osoba jest mi w tej chwili kompletnie obojętna. Kochałem ją, a teraz jej nie kocham. Jak dużo się zmieniło...".

Co czują takie osoby: pustkę, wypalenie, zdziwienie?

Bardzo często jest to właśnie poczucie ogromnego zdziwienia, że przeszło się od etapu wielkiej bliskości do obojętności. Oczywiście obie strony mogą – i jest to bardzo pozytywne, jeżeli tak się stanie – przyjaźnić się dalej, współpracować ze sobą, opiekować się dziećmi, ale nie ma mowy o uczuciu. Jakość bycia razem jest zupełnie inna. I nieraz obserwuję, że ludzie są zaskoczeni tym, że tak może być. Skąd się to bierze? Ano z tego, że wieczność nagle się skończyła, została ucięta. Przecież zakochani zawsze myślą kategoriami metafizycznymi, zawsze jest w tym wszystkim dążenie do unieśmiertelniania uczucia. Kategorie myślowe opisujące uczucia są zawsze temporalne. Czas przeszły zakochani interpretują słowami: „Byliśmy sobie przeznaczeni", czas teraźniejszy: „Spotkaliśmy się", czas przyszły: „Zawsze będziemy razem", „Będziemy się kochać nawet na tamtym świecie". Przeszłość, teraźniejszość, przyszłość jest dla osób zakochanych jedną perspektywą. Kiedy więc się okazuje, że ten ciąg czasowy zostaje przerwany, nic dziwnego, że można czuć się mocno zagubionym. Jak usiłują z tego wybrnąć? Obwiniają siebie, mówią: „Ulegałem/uległam iluzjom". Ale także filozofują: „Miłość to fatamorgana". Lub mówią: „Miłości nie ma, jest chemia seksu. I to przechodzi". Inni powiedzą: „Kochałem/kochałam miłość, a nie osobę".

Czyli?

To znaczy, że ktoś chciał być bardzo zakochany i możliwe, że zakochał się w samej idei miłości. Wobec tego osoba partnera była właściwie na drugim miejscu. Stale zresztą była dopasowywana do modelu miłości, który zakochana w miłości osoba miała w głowie. I jeżeli w te ramy nie udała się wpasować, następowało rozczarowanie. To bardzo często spotykany stan.

To jest dowód na egoizm, egocentryzm?

Nie. Prędzej można mówić o niedojrzałości. Poza tym to jest piękny stan, bo miłość jest przyjemnym, radosnym stanem, więc nic dziwnego, że do tego się dąży. Gdybym miał to porównać ze zjawiskiem dosyć powszechnym w naszym społeczeństwie, to powiedziałbym trochę złośliwie: to tak, jak ktoś kocha Polskę, a nie kocha Polaków. Pała miłością do idei, a nie osoby.

Czy często dzieje się tak, że w konfrontacji z końcem miłości ludzie stają się cyniczni?

Można być cynicznym, jeżeli w związku doszło do wypalenia. Cynizm może też wynikać z bardzo zranionego ego. Taki ktoś myśli sobie: „Ludzkość nie dorosła do mojego poziomu, nie znajdę wśród ludzi nikogo, kto zasługuje na moją uwagę". W głowie ogarniętego cynizmem człowieka kłębią się myśli w rodzaju: „Kobiety nie potrafią kochać", „Mężczyźni myślą tylko o jednym", „Prawdziwa miłość nie istnieje". Nic dobrego z tego nie wynika. Postawa sama w sobie jest bardzo niedobra dla człowieka, ponieważ jest przyczyną samotności. Zgorzknienie emanuje na otoczenie i nikt się nie garnie do utrzymywania stosunków z taką osobą.

Jeżeli mam w gabinecie pacjentkę, która mówi, że nie wierzy w prawdziwą miłość, nie mam zamiaru jej przekonywać, że jest inaczej. Zadaję jej tylko proste pytanie: „Jak pani wyobraża sobie życie z taką ideą?". Wychodzę z założenia, że ludzie przychodzą do mnie jako do speca od miłości. Jeżeli ktoś myśli: „Mam problem z miłością, pójdę do Starowicza, bo on się na tym zna" – jest dobrze. W gabinecie następuje konfrontacja, gdy pacjent wypowiada zdanie: „Prawdziwa miłość nie istnieje". Przy czym uważa, że ja jednak dysponuję wiedzą, że tak nie jest, i nie wyklucza, że może da się przekonać. Rozumiem i szanuję ten pogląd, ale nie zgadzam się z tą tezą, ponieważ moim zdaniem miłość istnieje. To otwiera nam pole do dyskusji. Ale gorszy jest przypadek, jeśli ktoś czuje, że stał się autorytetem w tej dziedzinie na podstawie swojego jednostkowego doświadczenia. Mam pacjentów, którzy reprezentują filozofię pępka: „Wierzyłam, że to jest miłość. Okazało się, że ta druga osoba mnie oszukała, tak jak agent Tomek, udawała miłość, straciłam więc wiarę w miłość. Niech mi

Starowicz nic nie gada na ten temat, bo ja wiem lepiej. Na podstawie mojego bardzo bogatego życia". Nie wdaję się wówczas w dyskusję z tą osobą, bo to nic nie da. Zostawiam ją z przekonaniem, które ma.

A jak można dotrzeć do kogoś, tak żeby z powrotem uwierzył w miłość? Jakimi argumentami?

Najpierw muszę dotrzeć do motywów, dlaczego stracił wiarę w uczucie. Jeśli to jest tylko rozczarowanie osobą, to muszę się dowiedzieć, dlaczego dana osoba czuje się oszukana? Może wcale nie miała tych wspaniałych cech, które u niej widzieliśmy? Dopiero kiedy dojdzie się do głębszych przyczyn rozpadu związku, można się zastanawiać, co dalej z tą miłością.

Czy łatwiej uratować związek, w którym nastąpiło wypalenie obu stron, czy związek, w którym jedna strona miała romans?

Reaktywacja związku jest możliwa zawsze, jeśli obie osoby są tym zainteresowane. Można takie próby czynić, ale nie ma gwarancji, że się uda. Romans natomiast jest bardzo często tylko sygnałem kryzysu. Natomiast jeżeli jest to wypalenie uczuciowe z obu stron, wtedy jest gorzej. Nieraz para przychodzi z prośbą: „Niech ten płomień w naszym miłosnym kominku znowu się pojawi". Ale też należy sprawdzić motywację do chęci ratowania związku, bo może to być na przykład motywacja religijna: „Nie możemy się rozwieść, bo wierzymy w Boga".

Czy to dobra motywacja?

Dobra, czasami zresztą bywa bardzo efektywna. Motywacje inne to np. tęsknota za tym, co było piękne, za rajem utraconym, za głębią przeżywania i emocjami, które temu towarzyszyły.

Jakie są najczęstsze przyczyny tego, że obie strony się wypalają?

Najczęściej brak dbałości o związek. Jeśli miłość się traktuje jako stan dany, „oczywistą oczywistość", jeśli się o nią nie zabiega i nie podtrzymuje ognia namiętności, można się liczyć z tym, że prędzej czy później stanie się oko w oko z perspektywą rozpadu. Trzeba czasami powiedzieć drugiej osobie, jak bardzo się ją kocha. Pamiętajmy, że nasza ziemska miłość to nie jest miłość aniołów, tylko ludzi. A więc ma swoje ograniczenia, swoje wzloty i upadki. Jednym z powodów końca związku jest nuda i monotonia. Jak się przed tym ustrzec? Może sobie kupić Encyklopedię Britannica? I stać się osobą o wiele bardziej interesującą? Ironizuję trochę, ale osoba nudna również może wprowadzić do związku coś intrygującego, wystarczy po prostu odrobina kreatywności. Znam parę, która w wieku 60 lat poszła na naukę tańca. Zobaczyli „Taniec z gwiazdami", zachwycili się i powiedzieli sobie: „My też tak możemy". I teraz sobie w domu tańczą. W każdym wieku można i należy ubarwiać sobie życie. Tylko dobrze, żeby druga osoba wiedziała, że problemem jest właśnie nuda. Poza tym my też się zmieniamy z czasem. Co innego, jak para ma po 20 lat, a co innego jest po 20 latach związku. Partner się zmienia, my się zmieniamy, trzeba to brać pod uwagę. Miłość to także dokonywanie wyborów. Zawsze ostrzegam ludzi, którzy stoją przed decyzją: wyjechać do pracy za granicę, żeby zwiększyć stan konta bankowego, zamienić skodę na mercedesa. To może być ryzyko dla związku, może więc nie warto tego robić.

Mówił pan, że kiedy para nie uprawia ze sobą seksu przez dwa tygodnie, to może być sygnał, że zaczyna się niedobrze dziać...

Przy braku życia erotycznego mówimy o dwóch dużych kryzysach. Pierwszy polega na tym, że zanika więź intymna. Już nawet św. Paweł powiedział wyraźnie: „Lepiej zawrzeć małżeństwo, niż gorzeć". To świadczy o tym, jak mocno seks jest więziotwórczy. Bliskość, bycie razem jest bardzo ważne dla zaspokojenia seksualnego, ale także dla zaspokojenia samej intymności. I nie chodzi nawet o sam stosunek, tylko o to, co się dzieje przed i po. Oboje są przytuleni, rozmawiają, pieszczą się, mają wielkie poczucie bycia razem, zespolenia, wspólnoty. Kiedy nie są długo koło siebie, rodzi się dystans. W ośrodkach mózgowych sterujących więzią, intymnością spada wówczas aktywność. Powstaje niebezpieczeństwo, że miejsce intymności zajmie oddalenie. To chleb powszedni dla wielu par – znają siebie bardzo dobrze, szanują się mocno, kochają, ale nie ma już pociągu. Tak wygląda pierwszy kryzys. Drugi kryzys następuje po długiej przerwie w życiu seksualnym trwającej nawet kilka miesięcy, wtedy następują zmiany zanikowe. My to nazywamy zanik z nieczynności. Zanik to zmiany fizjologiczne, hormonalne. W ich wyniku cała chemia seksu usypia. Ludzie nie mają potrzeby dotykania się i bycia obok siebie. Mogą leżeć jedno blisko drugiego, ale nie mają potrzeby seksu. Przy dłuższym trwaniu takiej sytuacji jest to niesłychanie groźne. Dlatego nie warto unikać seksu. Takie postępowanie jest niebezpieczne, zarówno dla związku, jak i dla seksu. Może doprowadzić do zaniku współżycia, a wbrew pozorom czasem bardzo trudno je wskrzesić.

Tyle tylko, że jak się jest wściekłym na partnera czy partnerkę, to trudno być aniołem seksu w łóżku...

To absolutnie zrozumiałe, że kiedy odczuwa się złość, niechęć czy żal do drugiej osoby, to nie ma się chęci na pieszczoty. Ale to powinno być chwilowe, a nie przybierać formy karania partnera, który musi sobie zasłużyć na seks. Obrażeni partnerzy potrafią iść dalej w okazywaniu niechęci (demonstrowanej lub autentycznej) – przenoszą się do innego łóżka i od tego czasu sypiają osobno. Na szczęście w większości związków kryzys bywa zażegnany, partnerzy godzą się i wracają do intymnej bliskości. Bywa jednak tak, że źle pojmowana ambicja zabija intymność i dystans cielesny ulega przedłużaniu w nieskończoność.

Może trwać kilka lat?

Tak, zgłaszają się do mnie pary, które od kilku lat nie sypiają ze sobą. Na pytanie, z jakiego powodu, odpowiadają zgodnie: z powodu konfliktu i uporu. O co poszło, jaka była przyczyna kłótni, tego nie potrafią sprecyzować. W końcu dochodzą do przekonania, że taka sytuacja nie ma sensu, ale nie potrafią już wykrzesać w sobie iskry pożądania i namiętności wobec drugiej osoby, mimo odczuwanych potrzeb seksualnych.

Nie wystarczy już się po prostu przytulić i powiedzieć sobie kilka miłych słów, a potem pocałować się namiętnie?

Okazuje się, że jest to bardziej skomplikowane, i nawet para, której nie brakuje dobrej woli, która się kocha i ma naprawdę ochotę do siebie wrócić, wcale nie musi odnieść spodziewanego zwycięstwa. Do niedawna uważano, że przyczyną trudności w powrocie do seksualnej intymności są opory, zahamowania i inne zaburzone relacje między partnerami. Ale to niecała prawda na ten temat. W laboratoriach przeprowadzono badania z zastosowaniem metod obrazowania mózgu, pomiaru „chemii miłości i seksu". Obserwowano np. zwierzęta poddawane eksperymentom polegającym na stworzeniu izolacji seksualnej, a później na próbach zbliżenia ich do siebie. Wyniki tych badań potwierdziły, że długotrwały brak stymulacji seksualnej zaczyna uruchamiać procesy w ośrodkach mózgowych sterujących szeroko rozumianą seksualnością (pożądanie, podniecenie, atrakcyjność seksualna, bliskość intymna) prowadzące do unikania partnera, narastającego dystansu. Ale to jeszcze nie wszystko: przede wszystkim do zaniku zachowań uwodzących, mających na celu zwrócenie na siebie uwagi, prowokowania pożądania. To z kolei prowadzi do obniżania się poziomu podniecenia seksualnego. Gdyby to zjawisko opisać w kategoriach biochemicznych, to można stwierdzić, że seks między partnerami w stałym związku działa jak narkotyk, bo pobudza układ dopaminergiczny.

Nawet jeżeli ten seks jest średnio udany?

Nie musi być świetny za każdym razem. Ważne, żeby był jakikolwiek. Zbliżenia seksualne aktywują wiele substancji chemicznych i ośrodki sterujące seksem w mózgu. Im dłużej trwa przerwa w kontaktach seksualnych, tym większy spadek podniecenia. Zdarza się, że może kompletnie zaniknąć. Dlatego nie jest prawdą to, co głoszą niektórzy znajomi, że wszystko się ułoży samo, bylebyście się kochali.

Namawia pan do podtrzymywania kontaktów seksualnych, nawet byle jakich, po to żeby intymność nie wygasła?

Twierdzę, że nawet najszczersze pogodzenie się i decyzja o powrocie do kontaktów seksualnych nie zadziała, bo nie aktywują się ośrodki mózgowe z powodu braku podniecenia i pożądania. Partnerzy mogą mieć dobrą wolę, motywację do współżycia, ale kiedy zabraknie chemii między nimi, nie da się utraconej intymności uratować. Bo seks nie działa, kiedy się do niego przemawia językiem rozumu. Seks jest napędzany emocjami i chemią. Można powiedzieć: „Okej, zastosujmy leki na wywołanie erekcji". Ale to nie jest oczywiste: leki na wywołanie erekcji nie zadziałają w przypadku braku pożądania do danej osoby. Nie ma również leków, które wywołują pożądanie wobec seksualnie obojętnej osoby.

Nawet viagra?

Viagra jest fantastycznym lekiem na kłopoty z erekcją, ale nie na kłopoty z psychicznym brakiem pożądania.

I jakie jest wyjście z sytuacji?

Jest kilka ćwiczeń, ale żadne z nich nie gwarantuje stuprocentowego powodzenia. Proponuję parom na nowo stopniowe oswajanie się ze sobą, pobudzanie wyobraźni erotycznej, wspólne oglądanie filmów o treści erotycznej, stosowanie pieszczot bez intencji stosunku, masażu ciała. Zaleca się również afrodyzjaki z wiarą, że wywołane pożądanie może ukierunkować się na drugą osobę. Wiele poradników doradza, co mają robić pary w celu przywrócenia namiętności w ich związku. To pomaga, choć nie w każdym przypadku. Dlatego jeszcze raz powtarzam: najważniejsze jest, by nie przedłużać braku intymnej bliskości. Jeżeli już, to najwyżej w skali kilku dni, nie więcej. Seks jest „naturalnym narkotykiem" dla związku, ale wymaga stałego dawkowania.

Co jest wobec tego najbardziej więziotwórcze: seks, namiętność czy czułość?

Tego nie można rozdzielać. Związek oparty na samym seksie to za słaba więź w perspektywie czasowej. Czułość? Co z tego, że jest czuły, skoro seksu nie ma. Wygłaskać to się można z kotem.

Sama czułość, wypieszczenie też nie wystarczy. To musi być ze sobą razem połączone.

Chociaż znam pary, które nie uzewnętrzniają czułości. Co prawda, druga osoba nie jest do końca zachwycona, ale mają bardzo udane życie. To widać po spojrzeniu, po gestach. Na przykład żona mówi wieczorem: „Czuję się strasznie zmęczona". Rano się budzi, a tu pięknie przygotowane śniadanie obok niej. I róża w szklance. To też jest czułość. Mężczyzna nic nie powiedział, nie przytulił, nie pogłaskał, nie wyszeptał: „Moje ty zmęczone maleństwo", tylko wziął się rano do roboty i przyrządził jajecznicę z boczkiem. I to jest piękne, bo często mężczyźni mają tendencję do mówienia: „Kocham cię", i poprzestawania na tym. Jakby nie wiedzieli, że poza wypowiedzeniem tych słów potrzebne są także czyny. Kobiety potrafią to docenić. Na równi z objęciem, dotykiem.

W jakim momencie lepiej jest skończyć związek, niż tkwić w niedobrej relacji?

Należy się zastanowić, na ile i jak dalece działa on destrukcyjnie. Jeśli związek nas niszczy, jeżeli jest wymierzony w nasze zdrowie, to trzeba się ratować. Działanie destrukcyjne to takie, kiedy druga osoba czuje się niezwykle niekomfortowo albo zaczyna chorować, ma myśli samobójcze.

A zwykły dyskomfort w byciu w związku nie wystarczy, żeby się rozstać?

Permanentny dyskomfort powoduje, że przestajemy normalnie funkcjonować w pracy, w rodzinie, wśród znajomych. Jeśli odczuwamy, że ten związek staje się dla nas toksyczny, szkodliwy, to warto rozważyć rozstanie, bo może się okazać, że nas zniszczy. Nie warto czekać do ostatniej chwili, warto o wiele wcześniej rozważyć decyzję o rozejściu się, bo czasami taki sygnał może podziałać otrzeźwiająco na drugą stronę.

Rozmawialiśmy o nudzie w związku i zdradzie, której jest ona przyczyną. Czy to zawsze prędzej czy później prowadzi do końca?

Ostatnio sporym powodzeniem cieszy się psychologia ewolucyjna i socjobiologia, która tłumaczy zdradę następującymi określeniami: „Mężczyźni są z natury poligamiczni, a kobiety monogamiczne", „Mężczyźni są uwarunkowani na rozdawnictwo genów, a kobiety szukają dawców najlepszych genów", „Po trzech, czterech latach zanika namiętność w związku". Tak naprawdę jednak na podstawie własnych doświadczeń mogę powiedzieć, że przyczyną prawie połowy zdrad jest nuda. I to niekoniecznie nuda wynikająca z monotonii i rutyny współżycia w związku. Częściej jest to poczucie nudnego życia, codzienności, obowiązków. Zdrada w takim układzie pełni rolę rozrywki, wydarzenia się czegoś ciekawego, ucieczki od nudy właśnie. Dostarcza bodźców. Dzięki niej życie staje się bardziej barwne i ciekawe, pełne adrenaliny. Co więcej, sprzyja odgrywaniu kilku ról jednocześnie. I tak ten sam mężczyzna może odgrywać równocześnie wiernego partnera w stałym związku, namiętnego kochanka, zacieracza śladów, może być aktorem grającym rolę troskliwego męża w gronie wspólnych przyjaciół. Przyzna pani, że to dosyć atrakcyjne i zajmujące zajęcie.

Nie wszyscy potrafią świetnie kłamać i udawać...

To prawda, dla niektórych bywa to męczące, dlatego często słyszę w gabinecie: „Jestem zmęczony tym podwójnym życiem", „Nie wiem już, co jest prawdą, a co kłamstwem". Co więcej, trudno jest ludziom wyznać, że to z powodu nudy zdradzili. Ubiera się więc zdradę w inne, bardziej szlachetne motywy („Żona mnie nie rozumie", „Z mężem mijamy się, on tyle pracuje"), a co ciekawsze: kochanki i kochankowie też nie znają tego typu motywu zdrady. Niewiele osób zdobędzie się na odwagę i powie wprost kochance czy kochankowi: „Chcę mieć z tobą romans, bo moje życie jest po prostu nudne". Nikt nie chce tego usłyszeć, osoby, z którymi zdradza się partnera czy partnerkę, wolałyby usłyszeć, że ktoś oszalał na ich punkcie. Kochankom mówi się najczęściej to, co chcieliby usłyszeć: że są wspaniali, kochani, rozumiejący, atrakcyjni w łóżku, idealni, uczuciowi, wyjątkowi. Z reguły słyszą, że małżeństwo jest nieudane, „to tylko formalność", nie ma w nim miłości ani seksu. Ale tak nie jest. Zdecydowana większość zdradzających z powodu nudy ma również kontakty seksualne w swoich związkach.

Ale i tak odchodzą?

To nie jest z reguły takie proste, jakby się mogło wydawać. Problem pojawia się, kiedy kochanka czy kochanek wierzą w to wszystko i chcą stworzyć nowy związek. Jeżeli są atrakcyjni seksualnie albo z innych przyczyn, osoba zdradzająca nie chce utracić kontaktu z nimi. Utwierdza ich w poczuciu miłości i w tym, że istnieje między nimi silna więź uczuciowa. Nie określa jednak zbyt dokładnie wspólnego życia, jedynie zarysowuje bliżej nieznaną wizję. Kochanka czy kochanek nawet z takich ogólnikowych stwierdzeń tworzy nierzeczywisty obraz romansu. Ale tylko do czasu pełne romantyzmu stwierdzenia: „Jesteśmy stworzeni dla siebie", „Tylko z tobą jest mi dobrze", „Jak piękne byłoby nasze wspólne życie", „Tylko ty mnie rozumiesz", „Chcę mieć z tobą dziecko", są wystarczające. Potem zaczynają się naciski: „Kiedy wreszcie rozwiążesz tę sytuację?". Pojawiają się pełne wykrętów i niejasne odpowiedzi. Romansujący mężczyźni z reguły kompletnie nie potrafią podjąć decyzji, kluczą, odraczają w czasie, wahają się. Natomiast co do kobiet, należy powiedzieć, że bardziej zdecydowanie i łatwiej podejmują decyzję na tak lub nie dalszego trwania romansu.

Ale kiedyś romans nawiązany z nudy sam zaczyna być nudny, prawda?

Tak, przychodzi taki moment i wówczas pojawiają się strategie ucieczki z niego: coraz mniej jest czasu na spotkania, stają się one krótsze, zaczyna się mówić o jakichś trudnościach w rodzinie. Kryzys staje się wyraźny. I nagle niespodziewanie niektóre kochanki zachodzą w ciążę mimo stosowanej antykoncepcji, która akurat teraz zawiodła. Co wtedy robi mężczyzna? Z reguły nie okazuje entuzjazmu, mimo wcześniejszych deklaracji: „Byłabyś wspaniałą matką", reaguje agresją, zarzuca „łapanie na ciążę". Tak kończy się wiele tego typu romansów. I to jest ich cecha charakterystyczna: kiedy zaczynają zagrażać trwaniu stałego związku, a stały partner/partnerka zaczyna coś podejrzewać, a przede wszystkim kiedy romans zostaje ujawniony, mężczyźni dość szybko okazują zdolność do wyrażenia decyzji i wracają skruszeni do domowych pieleszy. Żonie mówią to, co mogłoby osłodzić jej rozpacz, np. „Uwiodła mnie", „Omamiła", „Jestem uzależniony od seksu". I w tym przypadku można wierzyć statystykom: zdecydowana większość zdradzających z powodu nudy pozostaje w stałym związku. Zwłaszcza kobiety zdradzające z powodu nudy są raczej bardziej ostrożne i wycofują się z romansu, kiedy pojawia się najmniejsze zagrożenie dla ich stałego związku.

Panie profesorze, w jednej z książek napisał pan, że z zachowania wchodzącej do gabinetu pary potrafi pan wywnioskować, jakie są relacje między kobietą i mężczyzną. Czytałam też książkę amerykańskiego uczonego Johna Goodmana, który twierdzi, że po pięciu minutach rozmowy pary on potrafi przewidzieć, kiedy się rozstaną.

Mówiąc żartem, nie chcę, żeby pacjenci przychodzący do mnie na terapię uznali, że płacenie za godzinę to strata czasu, bo wystarczy, że spędzę z nimi pięć minut i będę wiedział, jaka czeka ich przyszłość... Posłużę się trochę innym przykładem. Nieraz jako gość jestem zapraszany na ceremonię ślubną. Przychodzę i czasami jest miło, a czasami mam mieszane uczucia. Dlaczego? Zdarza mi się przewidzieć, czy dany związek się rozpadnie, czy będą żyli długo i szczęśliwie. Nie dlatego że jestem jasnowidzem, tylko dlatego że mój mózg jest nafaszerowany rozmaitymi, często nieuświadomionymi komunikatami dotyczącymi tego, co się nazywa „byciem w związku". Z wzajemnych spojrzeń, gestów, mimiki twarzy układa mi się scenariusz na przyszłość danej pary. Spotkałem się już z tysiącami pacjentów, dlatego w moim „komputerze mózgowym" tworzą się prawidłowości i wtedy to widzę albo może inaczej wyczuwam, w którą stronę idą relacje tych młodych ludzi. Kiedy dostrzegam moment, w którym młodej parze życzą szczęścia, czuję się nieswojo. Jak Kasandra. A często muszę udawać, że wszystko jest cacy.

Lepiej pana nie zapraszać na ślub...

Odgaduję, jakimi państwo młodzi są ludźmi, jaka jest relacja między nimi. Wyczuwam, w którą stronę może zawędrować. Czy bezpośrednią przyczyną rozstania będzie walka o władzę między nimi, a może ona będzie zmęczona matkowaniem temu chłopakowi albo związek będzie miał dosyć kiepskie podstawy, a wierność szybko zniknie. To wynika z psychologii pierwszego spojrzenia. Podobnie ma psychiatra, który siedząc w gabinecie, po kilku minutach rozmowy i obserwacji wie, że wchodzący do środka pacjent, jest pacjentem ze schizofrenią. W tym więc, co mówi Goodman, nie ma nic nadzwyczajnego. Tyle tylko, że jeśli przychodzi para z prośbą o pomoc, a ja wyczuwam, że jest to para, która ma małe szanse na bycie razem, to w takim razie powinienem być wyczulony na opracowanie odpowiedniej strategii. Nie można się poddać pierwszemu wrażeniu, tylko trzeba zdiagnozować, czy rzeczywiście jest tak bardzo źle między nimi. Jeśli wchodzą do gabinetu, siadają i robią wrażenie, że to już jest koniec, robię test dystansu między nimi. Ustawiam ich w dwóch różnych punktach pokoju i proszę, żeby szli w swoją stronę. Gdzie się zatrzymają – to jest bardzo diagnostyczne. Jeżeli przestaną iść w odległości dwóch metrów od siebie, świadczy to o dużym dystansie. A jeśli idą i w pewnym momencie wchodzą na siebie, to widzę szanse dla tego związku.

Zna pan takie przypadki, kiedy – jak w piosence Stinga „If you love somebody set them free" – ktoś zakończył związek, żeby nie stać na drodze do szczęścia osoby, którą kochał?

Tak, to dosyć spektakularne przypadki, kiedy jeden z partnerów się zakochał w innej osobie, a drugi, chociaż wciąż darzy go uczuciem, mówi: „Nie mogę ci utrudniać miłości, jeżeli to da ci szczęście, to bądź szczęśliwy/szczęśliwa z Kasią (Jankiem)". I tamte osoby odchodzą do nowego związku, ale w dalszym ciągu mogą liczyć na pamięć i podtrzymywanie kontaktu ze strony partnera, którego opuściły.

Strasznie muszą być nieszczęśliwi ci wielkoduszni partnerzy...

To prawda. Gest dania wolności drugiej osobie pewnie jest piękny, ale nie widzę nic szczególnie ciekawego ani wzbogacającego w życiu osoby skazującej się na samotność. To zależy, jaki ołtarzyk miłości sobie stworzy i czym wypełni swoje życie. Najgorzej dla niej, jeżeli żyje tylko wspomnieniami, przeszłością. To jest absolutnie destrukcyjne. Osoba wielkoduszna może mówić i myśleć o sobie: „jaka/jaki jestem wspaniała/wspaniały, uszczęśliwiłam/uszczęśliwiłem drugą osobę". Ten wariant także chyba nie jest wzbogacający. Ale są też tacy, którzy dają wolność, ale nadal wierzą, że wróci. Raz w życiu spotkałem się z przypadkiem, że on od niej odszedł i wrócił po... dwudziestu latach.

Ona czekała na niego te dwadzieścia lat?!

Czekała. Jak w „Miłości w czasach zarazy".

I jak to się skończyło po jego powrocie?

Ona była ogromnie szczęśliwa. Wcześniej mówiła mi: „Wiem, że do mnie wróci. Nieważne, ile to będzie trwało". Przekonywałem ją: „Popatrz, lata mijają, twój były mąż ma już nową rodzinę, dzieci. Mogłabyś sobie ułożyć życie z kimś innym, położyć się obok innego mężczyzny, jesteś atrakcyjna, przecież masz temperament, miałabyś z tego radość". „Nie potrzebuję tego, z nim mi było dobrze i czekam na niego" – odpowiadała mi z uśmiechem. Kiedy wrócił, była przeszczęśliwa. Cały czas go bardzo kochała. On do niej wrócił, bo owdowiał i został sam. Widocznie przez te wszystkie lata nie znalazła nikogo, w kim zakochałaby się tak jak w nim. Nowego życia sobie nie stworzyła i w rezultacie finał tej historii był dla niej radosny. Żyli potem jeszcze w szczęściu pięć lat, aż do jego śmierci.

Rozumiem jednak, że czekania przez 20 lat na mężczyznę, który nas opuścił, nie poleca pan każdej kobiecie. Co robić, kiedy związek się rozpada, a ona/on wciąż jest zakochany?

Akurat w tym przypadku kobieta miała silne wewnętrzne przekonanie o jego powrocie. Ale absolutnie nie radzę kierować się swoim wewnętrznym głosem, który mówi, że ten ktoś na pewno powróci. Intuicja potrafi być zawodna. Bo on wcale może nie wrócić po tych 20 latach i Penelopa okaże się mocno posunięta w latach. Dlatego...

...nie czekajcie, Penelopy.

Nie czekajcie. Nie warto. Warto za to otworzyć serce na nową miłość.

Zna pan przypadki „Penelopów" – czekających mężczyzn?

Tak, miałem okazję poznać „Penelopa" – czekał bardzo długo na swoją „Odyseuszkę". Poznali się jeszcze w czasie studiów i wtedy stworzyli udany związek. Pewnego dnia pokłócili się dosyć gwałtownie i rozstali równie szybko. Oboje założyli rodziny, mieli partnerów. Jednak każde z nich myślało o tamtej drugiej osobie, właściwie nigdy o sobie nie zapomnieli. A związki, w których żyli, nigdy nie były na tyle satysfakcjonujące, jak ten pierwszy młodzieńczy związek ze studiów. Pewnego dnia wpadają na siebie przypadkiem na ulicy po 22 latach. I co robią? Wyjaśniają sobie rozmowę, która ich poróżniła prawie ćwierć wieku wcześniej. Okazuje się, że oboje popełnili wielki błąd życiowy: jedno i drugie źle zinterpretowało słowa drugiej strony. Rozstanie okazało się niefortunną pomyłką, nie było ku niemu żadnych racjonalnych przesłanek. Zaczęli rozmawiać o tym, że chcieliby do siebie wrócić. Sprawa była dosyć skomplikowana: ona wprawdzie była już rozwódką, ale on nadal był w związku, a jego żona poważnie chorowała. Właśnie dlatego się u mnie zjawił, poszukiwał wyjścia z sytuacji, pytał o radę, czy ma się angażować w nowy-stary związek, będąc mężem nieuleczalnie chorej kobiety. Właściwie był gotowy w każdej chwili wrócić do swojej dawnej miłości. Czuł się jednak zobowiązany do opieki nad małżonką. Powiedział mi, że kompletnie nie daje sobie rady w tej sytuacji. Wróciły do niego wszystkie uczucia z przeszłości, miał przemożne poczucie, że przegrał, nie wiążąc się wtedy ze swoją miłością. Nie chciał stracić szansy, którą dał mu los, ale równocześnie nie potrafił opuścić partnerki.

Jakie znaleźli wyjście z sytuacji?

Dosyć niezwykłe: rozmówili się w trójkę – on, jego żona i dawna miłość i do momentu jej śmierci żyli w swoistym trójkącie. On się opiekował chorą żoną, będąc równocześnie w związku ze swoją studencką miłością. Prawdziwie filmowa historia.

Rozdział VII.
Miłość macierzyńska i ojcowska

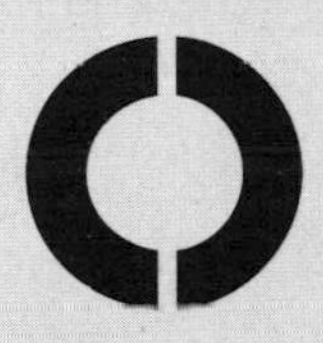

Rozdział VII.
Toksyczna miłość matek / zespół modliszki, czyli mężczyzna wyrzucony z serca i łóżka / instynkt macierzyński a zdrowy rozsądek / duma ojca z narodzin delfina / dziecko kumpel – marzenie ojca / jak rozmawiać z dzieckiem o seksie / maminsynek – jak ustrzec się wyhodowania potwora

Panie profesorze, porozmawiajmy o jeszcze jednym, niezwykle mocnym uczuciu. Rodzi się dziecko. Do miłości partnerskiej dochodzi miłość macierzyńska i ojcowska. I okazuje się, że często trudno pogodzić te trzy rodzaje miłości. Kiedy stają w opozycji?

Mamy tutaj duży rozrzut możliwości. Są kobiety, które po urodzeniu dziecka kochają mężczyznę jeszcze bardziej. Myślą: „Dzięki tobie mam dziecko, ono jest owocem naszej miłości, ta miłość jest nieśmiertelna, bo nas nie będzie, a dziecko będzie dalej". Po przeciwległej stronie mamy tzw. zespół modliszki, kiedy kobieta przestaje zupełnie zwracać uwagę na męża, przestaje być dla niej ważny. Są także takie kobiety, których serca są „małe". One nie mogą kochać równocześnie większej liczby osób, bo nie ma w nich na to miejsca. Wobec tego miłość przelewają tylko na dziecko. Taki typ kobiety czasami bywa na tyle skrajny, że kocha tylko jedno dziecko, a nie potrafi okazać miłości pozostałym. Pomiędzy tymi dwoma biegunami mieszczą się wszystkie inne warianty miłości macierzyńskiej. Najczęściej zdarza się tak, że kobieta pod wpływem macierzyństwa zaczyna kochać swojego partnera inaczej i często zdaje sobie z tego sprawę. On nieubłaganie schodzi na drugi plan. Jedna z moich pacjentek wyznała mi kiedyś, że od momentu urodzenia swojego synka zaczęła inaczej kochać męża. Jak? „Wydaje mi się, że kocham go jak dziecko" – powiedziała. Bywa też i tak. Mężczyźni oczywiście natychmiast to wyczuwają, stają się zazdrośni o dziecko, pilnują, czy czasami nie są mniej kochani niż ten mały nowy członek rodziny. I często mają ku temu racjonalne powody: są kobiety, które kochają dziecko do szaleństwa, uważają, że jest niesłychanie zdolne i wyjątkowe, i tracą z oka resztę świata. Ich miłość do dziecka jest tak wielka, że uczucie do męża – można powiedzieć – nie ma w tym przypadku żadnych szans i musi zmaleć. Mężczyzna kiepsko się czuje w odsuniętej na drugi plan pozycji. Przez pewien czas jakoś sobie z tym radzi w przekonaniu, że kryzys minie, że po porodzie to normalne i nie ma się czym niepokoić. Nic się jednak nie zmienia. Im bardziej domaga się seksu, tym większą budzi niechęć. Jego argument, że brak seksu nie jest normalny, spotyka się z kontrargumentami, że to jest normalne i jako dowód są przytaczane opinie przyjaciółek. Jeżeli mężczyzna ma słabą pozycję w rodzinie, to nic nie może uzyskać i zostaje mu narzucone życie w celibacie. Są tacy, którzy zaczynają prosić o seks i w tym celu realizują różne oczekiwania partnerki.

Lew Tołstoj takie zachowanie nazywał prostytucją małżeńską.

Tak, ma to wiele wspólnego z takim zachowaniem. Po pewnym czasie upokorzeni partnerzy przebąkują coś w rodzaju: „Znajdę sobie rozwiązanie" – czyli demonstrują cichy szantaż pod hasłem: „Znajdę sobie inną partnerkę". Czy to skuteczne? Partnerka na ogół dobrze zna swojego partnera i wie, jak daleko może się on posunąć. Często w ogóle przestaje się tym interesować. W najgorszej sytuacji są mężczyźni silnie związani z dzieckiem i motywowani do utrzymania związku, zakochani w partnerce. Czują się bezradni. Zależy im na seksie z tą, a nie z inną kobietą. Wielu z nich rozwiązuje problem poprzez masturbację. Zdarza się, że z poczucia bezradności szukają pomocy u specjalisty. Typowy jest obraz takiej pary w gabinecie. Mężczyzna w stanie zagubienia, skarży się na niezaspokojenie potrzeb seksualnych, oczekuje od terapeuty zrozumienia i poparcia. Ona nadąsana z powodu znalezienia się w gabinecie w wyniku usilnych próśb partnera. Część tego typu kobiet mówi wprost o braku chęci na seks i uważa, że to normalne i nie ma o czym dyskutować. Inne zachowują pozory: twierdzą, że mają potrzeby, ale partner powinien więcej okazać zrozumienia, powściągać swoją namolność, zasłużyć sobie na seks, a jeśli się zmieni, to w przyszłości będzie lepiej. Kiedy? Tego nie potrafią określić.

Dlaczego niektóre kobiety przeobrażają się w modliszki?

Ten typ kobiet ma ogromną potrzebę posiadania partnera i stworzenia rodziny. Dlatego są niesłychanie uwodzicielskie i seksowne. I w tych zachowaniach nie ma – wbrew temu, co często myślą o nich mężczyźni – wyrachowania i cynizmu. To jest w ich wykonaniu po prostu „taniec godowy". Kiedy ich potrzeby zostają zaspokojone, czyli mają wymarzone dziecko, zostają modliszkami. Często wynika to z powielania wzorców wyniesionych z domu rodzinnego: matka tej kobiety mogła w ten sposób traktować jej ojca, a swojego męża. Kobiety modliszki postanawiają także zrezygnować z oczekiwania na wielką miłość i akceptują partnera mogącego zaspokoić potrzebę założenia rodziny. Mogą mieć także, wbrew temu, co się wydaje, małe zainteresowanie seksem, co po porodzie prowadzi do zaniku zmysłowych potrzeb. Jej partner wobec tego jest obciążony winą za zaistniały stan rzeczy. Często słyszę w gabinecie: „On nic nie rozumie" lub „Tylko mu seks w głowie". Zespół modliszki niesłychanie ciężko poddaje się terapii.

Na szczęście są też kobiety, które mają dużo dzieci i wszystkie je kochają, a także uwielbiają męża – to są kobiety, których serce jest bardziej pojemne.

A ta metafora o wielkim sercu czego tak naprawdę dotyczy?

Mówimy tutaj o cechach osobowości. Są kobiety, które kochają tylko siebie. W momencie kiedy pojawia się dziecko – kochają siebie w tym maluchu, ta miłość jest uczuciem do siebie sklonowanej. To daleko idący egocentryzm. Z drugiej strony są kobiety, które kochają wszystko dookoła, przyjaciół, rodzinę, zwierzęta, ludzi. Kochają także nie swoje dzieci: adoptowane albo dzieci z poprzedniego związku swojego partnera. I te, które nie potrafią pokochać cudzych dzieci, bo przeszkadza im, że to nie są ich geny.

Jak zdefiniowałby pan miłość macierzyńską? Co jest jej nadrzędną składową?

Kiedy się rozmawia z niektórymi młodymi mamami, można usłyszeć: „Kocham tak ogromnie to moje dziecko, że prawie wariuję z tej miłości". Miłość macierzyńska może mieć charakter instynktowny: kocha malucha, bo tak jej „coś" nakazuje. U niektórych to wynika z faktu, że „taką malutką bezbronną istotką trzeba się koniecznie zaopiekować". Pacjentki opowiadają także, że miłość macierzyńska w ich wydaniu zawiera się w zdaniu: „Nareszcie mogę kogoś kochać i to naprawdę wielką miłością". Często też słyszę: „To największa miłość, jaka mnie do tej pory spotkała, nigdy podobnej nie przeżyłam, żadna nie może się z nią równać". To bardzo niebezpieczna tendencja.

Kwestionuje pan istnienie instynktu macierzyńskiego?

Jeżeli przez instynkt macierzyński rozumiemy swoistą symbiozę i niesłychaną harmonię między matką a dzieckiem, to u niektórych kobiet wcale go nie widzę, nie prezentują one symptomów opisywanych w prasie parentingowej: nie potrafią rozróżnić, kiedy dziecko płacze, bo jest zmęczone, a kiedy dlatego, że jest głodne. Nie zachwyca ich ząbkowanie i nie potrafią rozczulić się nad kupkami. Nie czują tego. Moim zdaniem to bardzo zdroworozsądkowe traktowanie macierzyństwa.

Jak młodzi ojcowie kochają matki swoich dzieci?

Są mężczyźni, u których pojawienie się dziecka nic nie zmienia w stosunku do partnerki. Są tacy, dla których kobieta staje się już nie kobietą, ale matką – on ją kocha, ale trochę tak, jak syn kocha matkę. Zdarza się, że u mężczyzn po okresie ciąży partnerki i porodzie zanika pociąg seksualny. Naukowcy wyliczyli, że nawet u 5–10 procent mężczyzn obecnych przy porodzie swojego dziecka pojawia się zanik pociągu seksualnego do partnerki. Powodem jest dyskomfort estetyczny, zmiana obrazu ciała partnerki, „zwierzęcość" porodu, nakłonienie do uczestnictwa przy porodzie wbrew ich chęciom. Inną przyczyną bywa zmiana roli kobiety w oczach partnera. Kobiety zaniepokojone zanikiem zainteresowania seksualnego partnera po porodzie najczęściej są przekonane, że wynika to ze zmiany ich wyglądu, zmniejszenia atrakcyjności fizycznej, zaabsorbowania opieką nad dzieckiem. I jeśli kobieta całkowicie i bez reszty wchodzi w rolę matki, pojawiają się kłopoty.

Partner zaczyna do niej mówić: „mamuśka". Okropne.

Niektórym kobietom to nie przeszkadza, a nawet im się podoba. Na drugim biegunie są mężczyźni, którzy mają tendencję, żeby odsunąć się od kobiety, bo czują, że jej bardziej zależy na dziecku.

A są też tacy, którzy jeszcze bardziej kochają, bo urodziła następcę.

Przykładem mogą być chociażby postacie historyczne, gdy jakiś władca byle jak traktował żonę, bo dawała mu same córki, a jak urodziła syna, to zaczął być dla niej sympatyczny i czuły. Też tak bywa.

Duński terapeuta Jesper Juul twierdzi, że 80 procent europejskich matek czuje się samotne. Nawet mimo tego że mają partnerów.

Myślę, że to uczucie jest uzasadnione. Mężczyźni wciąż jeszcze zbyt mało uczestniczą w życiu rodzinnym. Kobieta czuje się samotnie, ponieważ odczuwa, że dla jej mężczyzny sprawy dziecka nie są ważne. Najczęstszy model jest wciąż jeszcze taki: kobieta zajmuje się dzieckiem po urodzeniu do czasu żłobka lub przedszkola, a on pracuje. Jej świat zawęża się do czterech ścian, ewentualnie wyjścia na spacer. Dni są takie same, monotonne, wypełnione rutynowymi czynnościami. Dzieje się niby bardzo dużo, a z drugiej strony – w sensie spektakularnych wydarzeń – nie dzieje się nic. Jest zmęczenie, niewyspanie, powtarzalność, nuda. Wyjście do supermarketu jest atrakcją, jeżeli uda się namówić kogoś, żeby zajął się maluchem. A dla matki przełamanie codziennej rutyny jest niebywałą rewolucją. I z drugiej strony jest pracujący mąż, dla którego de facto niewiele się zmienia, oprócz nieprzespanych nocy, a czasami właśnie przespanych, no bo „przecież pracuje i musi się wyspać". Sporo mężczyzn kompletnie nie rozumie tego, że w życiu kobiety właśnie wydarzyła się rewolucja granicząca wręcz z końcem świata. Zdaniem facetów to nie może być aż tak ogromna apokalipsa, skoro ludzie od wieków mają dzieci i jakoś sobie z tym faktem radzą. „To taka babska przesada" – często słyszę w gabinecie. Albo: „Matka to matka i taki jest jej los". I to jest z ich strony ogromny błąd, bo kręcą bicz na samych siebie. Kobieta, która czuje się potwornie zmęczona, zaniedbana i niezrozumiana, nie ma siły być świetną partnerką. Więc to leży w ich męskim interesie, żeby chociażby wesprzeć słowem: „Tak, ja cię rozumiem, na pewno czujesz się zmęczona całodziennym marudzeniem dziecka. Naprawdę masz ciężko, bo ja jadę do pracy i mam spokój, a ty cały dzień musisz pracować".

Ale chodzi nie tylko o słowa, lecz również o czyny. Czy dobrym pomysłem na pokazanie ojcu, jak trudne i znojne potrafi być życie matki, jest odstawienie malucha od piersi i wyjechanie na trzy dni? Po to aby mężczyzna w końcu poczuł, czym jest naprawdę ojcowska miłość?

Można, ale pod kilkoma warunkami. Trzeba wiedzieć, jakie ojciec ma uczucia do dziecka. Jeżeli problem polega po prostu na niezrozumieniu tej męczącej codzienności, niewyspania, jeżeli brakuje mu empatii, to nie wykluczam, że mogłaby to być dla niego dobra nauka. Zostawiony sam sobie musiałby poradzić sobie ze wszystkimi czynnościami, które do tej pory wydawały mu się banalnie proste, a w rzeczywistości wcale nie muszą się takie okazać. Ale uwaga! – przestrzegam przed wcielaniem tego pomysłu w życie, jeżeli zauważymy jakiekolwiek sygnały świadczące o tym, że mężczyzna może zareagować na dziecko agresją. Jeżeli on ma takie predyspozycje, radzę nie ryzykować. Może zacząć krzyczeć na płaczące dziecko, ba, może nawet je uderzyć, sięgnąć po system kar, który będzie bardzo traumatyczny dla malucha. Moja rada: jeżeli kobieta koniecznie chce wyjechać, to najwyżej na trzy dni i nie za bardzo daleko... Najlepiej jednak, żeby ojciec funkcjonował z dzieckiem każdego dnia: pakował dziecko do wózka i szedł na spacer, a mama niech się zrelaksuje.

Jaka właściwie jest miłość ojcowska?

Jedną z nich opisał kiedyś Erich Fromm. Według niego dziecko musi zasłużyć na miłość ojca. Ojciec jest wtedy dumny z dziecka i okazuje mu uczucia. W takim układzie byłaby to klasyczna miłość warunkowa. Drugi model miłości ojcowskiej to uczucie do swojego następcy, dziecko jest traktowane jako swoiste przedłużenie gatunku: moje geny, nazwisko, mój kontynuator. Trzeci model to uczucie do kumpla: w dziecku znajduje towarzysza, robi razem z nim różne ciekawe (najczęściej jego zdaniem) rzeczy i kocha je, bo ono ma... takie same zainteresowści: gra w piłkę, szachy, samochody, majsterkowanie, kolekcjonowanie czegoś. Ja, ojciec, po prostu mam kumpla, dla którego w dodatku jestem jeszcze guru. Nie może być przecież lepiej!

Biedne dziecko kumpel...

Często ojciec potrafi zmusić dziecko do tego, żeby czymś się zainteresowało, i maluch po prostu nie ma wyjścia. Ale przecież bywa tak, że te wspólne więzi są naprawdę połączone nie tylko wymuszoną pasją, ale szczerym obopólnym zainteresowaniem jakąś dziedziną. Jest jeszcze miłość ojcowsko-macierzyńska, w której ojciec potrafi być bardzo czuły, podobnie jak matka. W takim układzie daje dziecku naprawdę dużo czułości i pieszczot, bo jest w tym mężczyźnie bardzo wiele uczuć, które potrafi maluchowi przekazać. A z drugiej strony jest też sporo wymagań. Taki ojciec częściej niż matka (która często wiele rzeczy po prostu odpuszcza) stawia wyraźne granice. Mężczyzna jest bardziej konsekwentny od kobiety i łatwiej wyegzekwuje od dziecka, co ono powinno zrobić.

Rozmawiałam niedawno z najmłodszą parlamentarzystką w fińskim parlamencie. Powiedziała mi, że jej koledzy gremialnie idą na urlopy tacierzyńskie. Sądzi pan, że jest to dobry przykład dla społeczeństw?

Nie lubię akcji, które pouczają ludzi, jak mają żyć. Buntuję się przed pokazywaniem obecnie obowiązujących i jedynie słusznych form macierzyństwa, ojcostwa, uprawiania seksu czy Bóg wie czego jeszcze. Jestem zwolennikiem takich sytuacji, które dają możliwość wykorzystania wszystkich możliwych wariantów. Czyli jeżeli matka chce zostać w domu i realizować się w tej roli, należy jej to umożliwić. Jeżeli tatuś chce się opiekować dzieckiem do momentu, aż ono pójdzie do przedszkola czy żłobka, to również – proszę bardzo. Jeżeli oboje chcą zatrudnić opiekunkę do dziecka, to niech się jej to również liczy do wysługi lat. Powinny być stworzone warunki do harmonijnego rozwoju dla wszystkich stron: mężczyzn, kobiet, dzieci. Wiele moich znajomych kobiet chciałoby pracować na pół etatu, ale nikt im w tej chwili nie stwarza takich warunków. I żadne akcje społeczne promujące politycznie poprawny rodzaj macierzyństwa tego nie zmienią, zanim nie zostaną zapewnione odpowiednie warunki socjalne dla młodych rodzin.

Co mężczyzna traci przez to, że nie przebywa z dzieckiem w jego najwcześniejszej fazie rozwoju?

Bardzo dużo, bo nigdy nie zda sobie sprawy z dynamiki rozwoju małego dziecka, która jest niesłychana. Bycie świadkiem rozwoju dziecka to jest jedno z najważniejszych przeżyć w życiu – to doświadczenie szalenie wzbogacające męską wrażliwość. Widzą niuanse w reagowaniu małej istoty na emocje, jest to także dla mężczyzn doskonałą lekcją komunikacji niewerbalnej. Mężczyźni obserwując język ciała malucha, uczą się odczytywania jego emocji – a to nie zawsze jest ich mocną stroną. Jeżeli tego zabraknie, jeżeli ojciec prześlizgnie się jako mało obecny podczas tego procesu, ominie go coś niepowtarzalnego, a to zuboży jego emocjonalny świat. Pierwsze słowa, pierwsze kroki, pierwsze niezgrabne zdania. Zmiany w małym dziecku są olbrzymie. Wielu ludzi uważa, że ważne jest to, co się pamięta ze swojego najwcześniejszego życia. Nie jestem psychologiem dziecięcym, ale uważam, że przed momentem pierwszych wspomnień z życia zadziało się mnóstwo szalenie ważnych rzeczy, których nigdy nie będzie się pamiętało. To, że ktoś słabo pamięta fakty ze swoich trzecich urodzin, nie świadczy o tym, że wcześniejsze wspomnienia nie są ważne. Ważne, żeby z dzieckiem mieć kontakt już od najwcześniejszej fazy.

Czy miłość macierzyńska dzisiaj jest trudniejsza niż miłość macierzyńska naszych matek albo babć?

Jest łatwiejsza i trudniejsza zarazem. O niebo łatwiejsza w sensie logistycznym: wydaje się, że jednorazowe pieluchy, jedzenie w słoiczkach, ubranka, nowoczesne wózki, nianie elektroniczne, filmy rysunkowe i cały dziecięcy przemysł powinny zdjąć z barków matek ciężar opieki i wychowania. Żadnego przecierania soczków (chyba że ktoś chce), prania pieluch itp.

Natomiast fenomen dzisiejszego macierzyństwa polega kompletnie na czymś innym. Kiedyś symbolem tego, że w domu pojawiło się dziecko, były pieluszki suszące się na podwórku lub na balkonie. Dzisiaj – brak doktoratu. W poprzednim modelu macierzyńskim kobieta wychodziła za mąż bardzo młodo, bo przeważnie do 25. roku życia należało już być mężatką. Pierwsze dziecko się pojawiało koło 22 lat, wobec tego kobieta miała najczęściej dwójkę dzieci jeszcze przed trzydziestką. A jeżeli dzieci było więcej, to właściwie nie miała żadnych alternatyw – funkcjonowała wśród gromadki dzieci i wie pani...

...nie była świadoma tego, że życie może wyglądać inaczej.

Dokładnie. Jeżeli człowiek nie zaznał przyjemności i innego sposobu życia, łatwiej jest z niego zrezygnować, skoro się go nie zna. Teraz realizująca się zawodowo kobieta, mająca w perspektywie świetną karierę (albo nawet zmęczona wyścigiem szczurów), mogąca podróżować niekoniecznie ma ochotę być szczęśliwa, niańcząc dziecko. Uczucie zniewolenia dzisiejszą rolą matki jest na pewno stokroć bardziej wyraźne niż w epoce naszych matek i babć.

Ostatnio daje się zauważać wyraźne odejście od miłości macierzyńskiej pojmowanej jako permanentny stan błogiego nurzania się w różowych kolorach, „dzidziusiach", „fasolkach" itp. Pojawił się nurt z kompletnie przeciwległej strony reprezentowany np. przez magazyn „Bachor", który bez ogródek mówi, że macierzyństwo to najbardziej katorżnicze zajęcie na świecie. Czy to nie jest forma odreagowania po micie matki Polki?

Na pewno tak. Ja natomiast nie mam takich doświadczeń ze swojego najbliższego kręgu. Mogę być tutaj nietypowy: moje obie córki (jedna ma dwójkę, a druga trójkę dzieci) dobrze sobie poradziły z macierzyństwem. Moja synowa niedawno urodziła drugie dziecko i także jest raczej zadowolona. W najbliższym otoczeniu mam więc akceptację macierzyństwa. Owszem, są trudy, ale przede wszystkim koncentracja na pozytywnych aspektach. To, co się także zmieniło, to fakt, że macierzyństwo absolutnie straciło swoją rangę. Kiedyś sam fakt posiadania dzieci nobilitował kobietę. Kiedy szła z czwórką dzieci, mogła być dumna, bo – nawet jeżeli nie miała innych osiągnięć – cieszyła się uznaniem. Dzisiaj bycie matką nie cieszy się szczególną społeczną estymą.

No chyba że się ma trójkę dzieci i doktorat...

Tak, kobiety dzisiaj chcą (lub znajdują się pod społeczną presją), żeby wykazać się w czym innym, a nie tylko w macierzyństwie.

Jak pan skomentuje badania, z których jasno wynika, że młode matki bardziej dbają o dzieci płci męskiej niż żeńskiej? Naukowcy sprawdzili, że o wiele szybciej reagują na płacz chłopców niż dziewczynek. O czym to świadczy? Że matki chcą dziewczynki przygotować na prawidłowość: w życiu będzie wam trudniej niż chłopcom?

Są też badania, z których wynika, że śmiertelność niemowląt płci męskiej jest większa niż płci żeńskiej, może więc to poprawna reakcja na zagrożenie? Są bardziej czujne, bo męska płeć jest immunologicznie słabsza. Nie wiem, czy rzeczywiście się tym kierują, czy akurat czują większą dumę, radość z powodu urodzenia syna i w związku z tym bardziej się przejmują. To też jest ważne, czy ojciec bardziej się cieszy, że ma syna czy córkę. Są oczywiście matki, które wyraźnie preferują córki, bo uważają, że „z córek będzie pożytek, bo córka będzie zawsze z matką, że na córkę można liczyć". Bo syn i tak prędzej czy później opuści dom. Jeżeli kobieta ma takie nastawienie, będzie na pewno bardziej czuła wobec córki, bo dla niej to inwestycja na przyszłość.

Inna matka będzie się czuła bardziej nobilitowana przez fakt urodzenia chłopca, co zwiększa jej pozycję w rodzinie. Są takie kobiety, które głęboko tkwią w przekonaniu, że urodzenie syna jest o wiele większym wydarzeniem niż przyjście na świat córki. I to jest fakt decydujący: ona będzie bardziej dbała o syna. Zresztą takie preferencje bardzo łatwo sprawdzić, zadając najprostsze pytanie z możliwych: „Woli pani mieć chłopca czy dziewczynkę?”.

Czego matki powinny uczyć swoich synów, a ojcowie córki?

Uczyć powinno to z rodziców, które ma lepszy kontakt z dzieckiem i lepiej to potrafi. Natomiast jeżeli córka ma dobry kontakt z ojcem, stwarza to nadzieję, że będzie ona miała też dobre kontakty z mężczyznami. Podobnie jest z synem. Chociaż nieraz co prawda mnie też trochę zaskakuje bycie blisko młodych mężczyzn ze swoimi matkami. Jeżeli przychodzi do gabinetu 17-latek, 18-latek z mamusią i konstatuję, że on się jej zwierza z przedwczesnych wytrysków...

...to pan się zastanawia, czy aby ta relacja nie poszła trochę za daleko...

Tak, bo w dodatku jego matka opisuje dokładnie, że nie wychodzi mu z jedną dziewczyną, z drugą. Za to kiedy się masturbuje, to wytrysk jest późniejszy.

Och...

Mnie takie rozmowy nie mogą peszyć, tak jak panią.

No tak, ale jakby przyszedł z ojcem, byłoby lepiej?

Nigdy nie miałem takiego pacjenta.

Syn z ojcem nie przychodzą?

Bardzo rzadko. Jeżeli się zdarza, to w sytuacjach, kiedy ojciec jest zaniepokojony, że syn nie ma dziewczyny, wtedy jest poważne podejrzenie o homoseksualizm. Ojciec jest zaniepokojony, że z synem coś nie tak, że nawet jak ma dziewczyny, to tylko na krótkotrwałe związki. Wszystkie dziewczyny odchodzą, więc ojciec prosi, żebym pomógł synowi, sprawdził, co siedzi w jego głowie. I widzę niemą prośbę w jego oczach o wykluczenie homoseksualizmu. Rzadko się zdarza, żeby ojciec znał detale, że jego syn ma zaburzenia erekcji, wytrysku.

A powinien znać?

Myślę, że nie ma takiej potrzeby, chociaż gdyby znał, to byłby to dowód na niesłychanie bliską relację. Na pewno wyjątkową.

Czy ojciec może nauczyć syna dobrego modelu miłości do kobiet?

Może to zrobić swoim własnym przykładem, na pewno nie gadaniem. Syn widzi, jak ojciec traktuje kobiety: matkę, ale także inne: znajome przychodzące do domu – to jest nauka postawy wobec innych kobiet.

Co kobieta może zrobić, żeby miłość macierzyńska nie zaślepiła jej na tyle, że wychowa maminsynka?

Musi koniecznie postawić granice i stymulować go do odpowiedzialności za swoje zachowania, do podejmowania decyzji. Istota „maminsynkostwa" polega na tym, że matka chroni swojego syna przed wszystkimi możliwymi niebezpieczeństwami. Świat jest postrzegany przez nią jako miejsce pełne pułapek, zasadzek, a ludzie dokoła, zwłaszcza kobiety, pragną unieszczęśliwić jej syna. Matka zwykle zakochuje się w swoim synu, dba o niego i powtarza jak mantrę: „No to teraz przyjdzie jakaś inna kobieta i go zabierze. Najgorzej będzie, jak go wykorzysta. Nie mogę na to pozwolić". Dlatego za wszelką cenę chce wpływać na jego wybory. Jej syn jest cały czas sterowany po to, by jego życie było udane, bezpieczne, już mamusia się o to zatroszczy.

A jak jest z córeczką tatusia?

Tu może być trochę bardziej skomplikowanie. Zależy od tego, czy tatuś wyszumiał się w młodości, czy nie. Bo jeśli tak, to może się bardzo obawiać, żeby jego córka nie trafiła na jednego z tych młodych mężczyzn, którzy właśnie są w trakcie „szumienia". Ojciec nie chce, żeby jego córkę spotkał los jednej z „wykorzystanych". W tym właśnie punkcie będzie niesłychanie uważny. Właściwie można zrozumieć jego obawy, wiadomo też, jak się to będzie realizowało: w postaci nadmiernego kontrolowania swojej dorastającej córki. Druga grupa ojców, nazwijmy ich bardziej postępowymi, będzie stała na stanowisku wychowawczego minimum: „Teraz są takie czasy, że o seks łatwo, że jest on dostępny, łatwy i nie ma o co walczyć. Byle tylko nie zaszła w ciążę". Właściwie to jedyne i podstawowe marzenie tej grupy ojców.

Powiedziałabym, że dosyć minimalistyczne...

Nawet bardzo. Chodzi im właściwie tylko o brak ciąży i święty spokój. Są też ojcowie pragnący za wszelką cenę, aby ich córka uniknęła zniewolenia, aby mogła się rozwijać, uczyć, robić karierę. Chcą, aby ich pociecha znalazła czas na samorealizację, a facet, z którym się zwiąże, powinien być jej partnerem, który nie przeszkodzi jej w obranej drodze życiowej.

Czy rodzice nigdy nie są gotowi na to, że ich dzieci właśnie się zakochują? Zawsze jest to zaskoczenie?

Zawsze. Bo na swoje dzieci patrzą z perspektywy rodziców, a miłość, zakochanie jest krokiem w dorosły, dojrzały świat. Pytają więc siebie, czy dziecko jest na to gotowe, i zwykle – ich zdaniem – nie jest. I buntują się przeciwko temu. Tym bardziej kiedy się okazuje, że ich dziecko uprawia seks. Standardowy wiek inicjacji seksualnej w Polsce to ok. 17 lat, wobec tego z ich perspektywy dziecko jest absolutnie niedojrzałe.

Mają rację czy nie?

Częściowo mają, moim zdaniem optymalny wiek na rozpoczęcie aktywności płciowej to raczej bliżej 20. roku życia, biorąc pod uwagę nasz cykl kształcenia. W takim wieku jest się mniej więcej dojrzałym do miłości.

Dla rodziców zawsze to jest za wcześnie, tym bardziej że te 17 lat przypada na okres intensywnej nauki. Dlatego według rodziców z pierwszej miłości wynikną same kłopoty. Dziecko nie zda matury, nie skończy studiów czy, nie daj Boże, zostanie małoletnim ojcem lub matką. Nie dostrzegają, że dziecko już dorośleje.

Nie widzą, że to, co się zaczyna dziać z ich dziećmi, jest po prostu ładne?

Rodzice wiedzą, że kiedyś ten moment nastąpi, ale kompletnie nie przygotowują do tego dzieci. Moim zdaniem w większości są bezradni. Natomiast dzieci potrzebują modelu zachowań miłosnych, który wynoszą z domu. No właśnie, a skoro model np. miłości ojca do matki jest taki, że on ją zdradza za jej cichym przyzwoleniem, nie możemy się spodziewać czegoś innego po wchodzącym w dorosłe życie młodym człowieku. Albo inny przykład: matka zaczęła współżyć z mężczyznami w wieku 15 lat i jej córka o tym wie, bo jest dzieckiem piętnastolatki. To jakim autorytetem może być, jeżeli teraz zacznie opowiadać córce: „Musisz być dojrzała, zanim rozpoczniesz życie seksualne...".

Ale nie chce pan powiedzieć, że to już przesądzone: że nastoletnia córka nastoletniej matki wcześnie rozpocznie życie płciowe?

To zależy od tego, jak jej opowie o swojej przeszłości. Lepiej, żeby unikała autorytarnych stwierdzeń w stylu: „Nigdy nie należy wierzyć żadnemu mężczyźnie" czy „Kobieta powinna się przyzwoicie prowadzić". Dobrze jest, żeby spokojnie wyjaśniła: „Widzisz, zrobiłam błąd, uwierzyłam mężczyźnie, byłam zakochana bez pojęcia, rodzice mi nic wtedy nie powiedzieli, nawet nie wiedziałam, że mogę zajść w ciążę, i tak się stało. Cieszę się, że jesteś. Ale przyznasz, że ten wiek nie jest dobry do rodzenia dzieci".

W modelu, o którym mówimy i który powinien zaistnieć w każdej rodzinie, chodzi o to, żeby stworzyć dojrzałą motywację do życia seksualnego. Żeby wiedzieć o tym, że miłość to także druga osoba z jej potrzebami i uczuciami. Trzeba także rozmawiać o rodzicielstwie, czyli antykoncepcji. Jeżeli te wszystkie elementy wystąpią, jest małe prawdopodobieństwo, że nastąpi przedwczesna inicjacja, że motywy do rozpoczęcia życia płciowego będą bardziej dojrzałe. Dzieci, nastolatki powinny dowiedzieć się od rodziców, że życie seksualne to nie jest tylko „numerek". Bo jeżeli takie jest założenie, to nie wróżę szczęśliwej kontynuacji.

Przedwczesna inicjacja przypada na jaki wiek?

Do szesnastego roku życia: czternaście, piętnaście.

Co jest największą przeszkodą w rozmawianiu dorosłych z dziećmi o seksie, antykoncepcji, cielesności?

Jeżeli nastolatek do tej pory nie rozmawiał z rodzicami na ten temat – to właśnie ten fakt jest największą przeszkodą. No bo jak teraz zacząć o tym mówić?

A dlaczego takich rozmów do tej pory nie było?

Najczęściej rodzice nie widzą takiej potrzeby. Poza tym nie wiedzą, jak sobie z tym poradzić. Najlepiej jest zacząć o tym rozmawiać od drugiego, trzeciego roku życia, kiedy maluchy zadają mnóstwo pytań dotyczących sfery seksualnej. Jeżeli takie rozmowy się odbędą, dzieci będą przyzwyczajone do tego, że seksualność jest normalnym tematem rozmowy. Gorzej, jeżeli od takich rozmów rodzice się wywinęli, bo wówczas dziecko będzie unikało tego typu tematów. Łatwo wtedy przegapić moment, kiedy trzeba naprawdę o tym porozmawiać, kiedy najwyższy na to czas.

Kiedy moje bliźniaczki miały trzy lata, kupiłam im we Francji książkę „La Vie sexuelle". Pokazałam im wszystko, porozmawiałam, głos mi ani razu nie zadrżał. Najbardziej niezwykłe było to, że w ich pytaniach nie było wstydu, pruderii, czyli tego wszystkiego, czym obwarowany jest seks w rozmowach dorosłych. Pytania były rzeczowe, więc rzeczowo na nie odpowiadałam. Wtedy na własnej skórze się przekonałam, jak mocno obarczamy dzieci swoim wstydem.

No i dobrze pani zrobiła. Jeżeli będzie pani kontynuowała wychowanie dzieci w ten sposób, córki nie powinny mieć problemów także w rozmawianiu o „tych sprawach" ze swoimi dziećmi.

Może to brak odpowiedniego słownictwa powoduje, że nie potrafimy rozmawiać z dziećmi o seksie?

Nie potrafimy przekroczyć dystansu do swojej intymności, która powinna być traktowana jak każda inna funkcja życiowa. Skoro dziecko o coś pyta, należy mu odpowiedzieć zgodnie z prawdą. Dziecko mówi o jedzeniu, o zabawie, o tym, co się działo w przedszkolu, mówi o kupce, może mówić i o siusiaku. I powinniśmy traktować to wszystko normalnie, ale wychowani w kulturze grzechu nie potrafimy.

Nawet dzisiejsze, zdawałoby się wyzwolone, trzydziestoparo- i czterdziestolatki także sobie z tym nie radzą.

Oni już lepiej potrafią. Rzeczywistość zmienia się przede wszystkim pod wpływem Internetu, a nie dlatego, że nagle rodzice zrobili się bardziej liberalni. Tyle tylko, że zmienia się dosyć wolno, nie tak, jakbyśmy sobie tego życzyli. Kultura wstydu, grzechu ma wpływ na najmłodszych, przypuszczam, że większy, niż się nam wydaje. Mam wrażenie, że złą robotę robi tutaj sakrament pierwszej spowiedzi, która, jak wiadomo, dotyczy grzechu. Ośmiolatka... I w zakresie seksu jest to szczególnie wyeksponowane. Głęboko nie zgadzam się z tym, że grzechy wobec ciała w naszej kulturze są mocniej napiętnowane niż na przykład niepłacenie podatków. Wielka szkoda, że ksiądz podczas spowiedzi nie pyta: „Czy postępujesz uczciwie wobec urzędu skarbowego?” albo „Jak zachowujesz się na ulicy jako kierowca: czy nie przekraczasz prędkości albo parkujesz na miejscu dla niepełnosprawnych?”. Gdyby ksiądz pytał o wszystkie aspekty naszego życia społecznego, w tym także o seks, nie miałbym o nic pretensji. Natomiast seks jest absolutnie sztucznie wyeksponowany, dlatego nic dziwnego, że hamuje to ludzką naturalną spontaniczność w sferze erotycznej. I ten mały człowieczek przed konfesjonałem musi przyjść i opowiedzieć księdzu o wszystkich swoich grzesznych myślach i nieprawomyślnych uczynkach wobec ciała. I to ma swoje niedobre dla seksualnego rozwoju konsekwencje.

I jeszcze jedno. Na pytanie, kto powinien edukować seksualnie dzieci, często słyszy się jedyną odpowiedź: rodzice. To piękny pomysł. Tyle że mało realny. Wielu rodziców nie umie i nie chce rozmawiać na takie tematy. Nie wszyscy rodzice są dla dzieci pozytywnym przykładem udanego związku, miłości, roli męskiej i kobiecej, godnymi naśladowania. Optymalnym rozwiązaniem byłaby zgodna współpraca rodziców, szkoły i służby zdrowia. To jednak w naszym przypadku tylko pobożne życzenie. Edukacja seksualna powinna być oparta na rzetelnej wiedzy, obiektywna, wszechstronna, obejmująca elementy biopsychospołeczne seksualności. Niestety, ciągle jeszcze jako społeczeństwo jesteśmy przygnieceni masą uprzedzeń i mitów dotyczących edukacji seksualnej. Po pierwsze, wydaje nam się, że wtajemniczenie w „te sprawy” automatycznie przyśpieszy inicjację seksualną. Takie myślenie wynika z przekonania, że samo mówienie o seksie rozbudza seksualnie młodzież i dlatego lepiej o tym nie mówić lub ograniczyć się do mówienia o miłości i rodzinie. Natomiast wiadomo z przeprowadzonych badań, że dobrze realizowane programy edukacji seksualnej prowadzą do wzrostu świadomości, poczucia odpowiedzialności, unikania ryzykownych zachowań seksualnych. Przyśpieszaczem inicjacji seksualnej jest natomiast zastępowanie edukacji seksualnej (z powodu jej niedostępności) pornografią i bzdurami upowszechnianymi przez rówieśników. Po drugie, część osób – przeciwników edukacji seksualnej – wyznaje pogląd, że propagatorzy edukacji seksualnej ukrywają prawdziwe motywy swojej działalności. Na przykład reprezentują interesy firm produkujących środki antykoncepcji, środowiska gejowskie, feministyczne. Spotyka się również spiskową teorię, że jakieś osoby czy organizacje chcą zniszczyć rodzinę, małżeństwo szczególnie przez to, że jakoby miałyby promować seks przedmałżeński. Co jest kompletnym nieporozumieniem. Programy edukacji seksualnej promują model seksu bezpiecznego, czyli stałe i trwałe związki. Uwzględniają jednak nie tylko pobożne życzenia, ale także realia, w jakich młodzi ludzie żyją. Pewien odsetek populacji rozpoczyna życie seksualne w okresie dojrzewania, akceptuje seks przedmałżeński i go realizuje. Zamiast bujać w obłokach, trzeba więc popatrzeć realnie i dlatego w programach edukacji seksualnej udziela się informacji na temat wszelkich możliwych następstw inicjacji seksualnej, konieczności wyboru optymalnej dla danej pary metody zapobiegania ciąży, zapobiegania następstwom nieudanego życia seksualnego. Ponieważ zajmuję się edukacją seksualną od kilkudziesięciu lat, żałuję, że Polska zatrzymała się w miejscu. Edukacją seksualną zajmują się wszyscy, ale najmniej słuchamy ekspertów. Jej brak uderza w młodzież. Niewiedza seksualna jest częstą przyczyną dramatów w relacjach, zaburzeń seksualnych, przedwczesnej inicjacji, rodzicielstwa, chorób wenerycznych itd. Brak edukacji seksualnej zastępowany jest u części młodzieży pornografią ze wszystkimi wynikającymi z tego następstwami.

Co pan sądzi o spaniu z dziećmi w jednym łóżku? Zdania są podzielone – jedni mówią: „Słuchaj swojego serca, tak kiedyś spali ludzie pierwotni". Inni: „To najlepszy sposób, aby zrujnować swoje życie intymne".

Dzielenie łóżka ze swoim dzieckiem może zaburzyć jego rozwój psychoseksualny. Zwolennicy spania z dzieckiem w łóżku wysuwają koronny argument, że spanie rodziców razem z dziećmi to zjawisko często spotykane w wielu kulturach i akceptowane społecznie. Może wynikać z ubóstwa, gdy w jednym pomieszczeniu żyje cała rodzina, a do spania ma tylko jedno łóżko. W naszej obyczajowości dopuszczalne bywa wspólne spanie z bardzo małymi dziećmi, kiedy są karmione piersią (wtedy jest to wygodniejsze dla matki i ojca, bo pozwala się wyspać w miarę wygodnie obu stronom). Śpi się także z większymi dziećmi, kiedy boją się one ciemności lub mają koszmary senne. Najczęściej spotykanym wariantem jest sypianie matki z córką. Jedne matki sypiają z córkami, począwszy od wczesnego dzieciństwa aż do wieku szkolnego, inne – aż do okresu dojrzewania. Tak zachowują się matki, dla których córka jest jedynym obiektem miłości, tworzą z nią więź symbiotyczną, traktują ją jako drugie „ja", swego rodzaju psychicznego klona, wieczne dziecko. Takie matki uznają wspólne spanie za coś naturalnego i nie widzą w tym nic szkodliwego, a nawet potrafią agresywnie się bronić.

Czy to groźne?

Najczęściej doprowadza do zatrzymania rozwoju psychoseksualnego córki, infantylizmu psychicznego, rozwoju zespołu modliszki, zaburzenia identyfikacji płciowej, trudności w życiu seksualnym, niezdolności do tworzenia relacji partnerskich w związkach. Rzadziej spotykane jest spanie w jednym łóżku matek z synami. Ale także się zdarza. Rekordzistą w moich doświadczeniach z pacjentami był 36-latek, który od małego spał w łóżku z matką. Co skłania matki do takiego zachowania? Najczęściej, niestety, zaborcza miłość, patologiczna więź, potrzeba uchronienia ukochanego syna przed innymi „złymi kobietami", chęć bycia jedyną kochaną kobietą w jego życiu itp. Prowadzi to niezwykle często do unieszczęśliwienia syna, są to mężczyźni żyjący w samotności, zdziwaczali albo tacy, którzy żenią się z rozsądku i to w bardzo późnym wieku. Mogą mieć zaburzenia identyfikacji z rolą męską, zahamowania seksualne. Zaspokajają swoje potrzeby seksualne wyłącznie poprzez masturbację. Najczęściej nie mają udanego życia seksualnego ani partnerskiego.

Znałam rozwiedzionego mężczyznę, który spał w łóżku ze swoją trzynastoletnią córką...

To raczej rzadkość. Spanie ojca z córką zwykle nie jest tolerowane i traktowane jest wręcz jako naganne, budzi podejrzenie kazirodztwa. Ale spotyka się go w przypadkach ojców samotnie wychowujących córki, zastępujących im partnerkę (w sensie uczuciowym). I to także ma swoje negatywne efekty. Może prowadzić do takich następstw, jak wiązanie się dorosłej już córki ze starszymi partnerami, a nawet do zainteresowań homoseksualnych. Stosunkowo najrzadziej spotykanym wariantem jest spanie ojca z synem. Ale i tacy się zdarzają, rekordzista, którego znałem, spał ze swoim synem do momentu, kiedy skończył on 16 lat. I nie było tu żadnej relacji kazirodczej. Jaki więc motyw mają ojcowie? Ukryte i wypierane skłonności homoseksualne oraz głęboka niedojrzałość psychiczna.

Jestem przekonana, że te kuriozalne przykłady skutecznie odwiodą rodziców od spania ze swoimi dziećmi w łóżku...

Wie pani, od czasu nagłaśniania w mediach pedofilii obserwuję mniejszą skłonność do wspólnego spania z dzieckiem, szczególnie powyżej wieku przedszkolnego. Coraz częściej babcie i teściowe podejrzliwie obserwując, co się dzieje w sypialniach, są skłonne zgłaszać do prokuratury rzekome „pedofilskie" zachowania swoich zięciów czy synowych. I chociaż przeważnie nie ma w tym cienia prawdy, i często mamy do czynienia z nadinterpretacją, uważam, że spanie w jednym łóżku z dzieckiem w wieku szkolnym jest niewskazane. Nie robi to dobrze żadnej ze stron.

Jak dzieci oceniają miłość i związek swoich rodziców? Wiele z nich kwituje długoletnie związki jednym stwierdzeniem: „To przyzwyczajenie". Albo: „Z moją matką nikt inny by nie wytrzymał, oprócz mojego ojca"...

Tak, tyle tylko, że to jest ich punkt widzenia powtarzany przez dziecko. Często pytam dzieci, jak widzą małżeństwo swoich rodziców, jak je oceniają – to w mojej praktyce zawodowej jest codzienność. Często jest tak: ojciec z matką przeżyli ze sobą trzydzieści lat, a dzieci mówią: „Według mnie to jest nieudane małżeństwo i nie chciałbym takiego mieć". Wtedy pytam, czy rodzicom jest dobrze ze sobą. „No, żyją ze sobą i nie mówili nigdy o rozwodzie" – słyszę odpowiedź, która właściwie nic nie wnosi do sprawy. Wbrew pozorom między dziećmi a rodzicami nie ma dokładnej wymiany informacji. I dzieci nie mają dobrego wglądu w jakość życia swoich rodziców. Nie mają z tego powodu, że dzieciaki szybko wchodzą w wiek dojrzewania, buntują się, chcą się „odpępnić" od rodziców, chcą się odróżniać, poznają kogoś, wchodzą z nim w związek. Refleksja na temat małżeństwa rodziców przychodzi dopiero wówczas, kiedy jako dorośli mają już staż bycia w związku. Ale i wówczas nie zawsze te oceny mogą być trafne. I wciąż pełno jest znaków zapytania. „Czy pani mama jest szczęśliwa?" – pytam pacjentkę. „No, często płakała, ale mówiła, że nigdy taty by nie opuściła". „Kiedy tata zmarł, nie znalazła sobie kogoś innego". Jaki stąd wniosek? Że jakby tata był prześladowcą i zmarł, to – siłą rzeczy – mogłaby później stworzyć sobie lepszy, udany związek. A ona pielęgnuje pamięć o ojcu, tymczasem według córki to nie było udane małżeństwo. W każdym razie, jeśli dzieci (nawet dorosłe) mówią, że związek rodziców przetrwał dzięki przyzwyczajeniu, to dla mnie nie jest to jeszcze żadna informacja. Przecież może rodzice stworzyli sobie świat typu „oaza", w którym jest im dobrze, bezpiecznie. Czy to jest przyzwyczajenie? Jest. Ale jeżeli dziecko mówi: „Moja matka ma taki charakter, że nikt by jej nie chciał", to na co to jest dowód? Na wielką miłość ze strony ojca i na to, że są ludzie, którzy gustują w partnerach trudnych i skomplikowanych. I to im odpowiada. Nie znoszą takich stabilnych, przewidywalnych partnerów, bo to kojarzy im się z nudnym życiem. Więc może to właśnie bardzo udany związek?

Spis treści